8人の美術家による、現代沖縄の美術の諸相

土屋誠一、富澤ケイ愛理子、町田恵美 編

ART DIVER

第1展示室

第2展示室

第3展示室

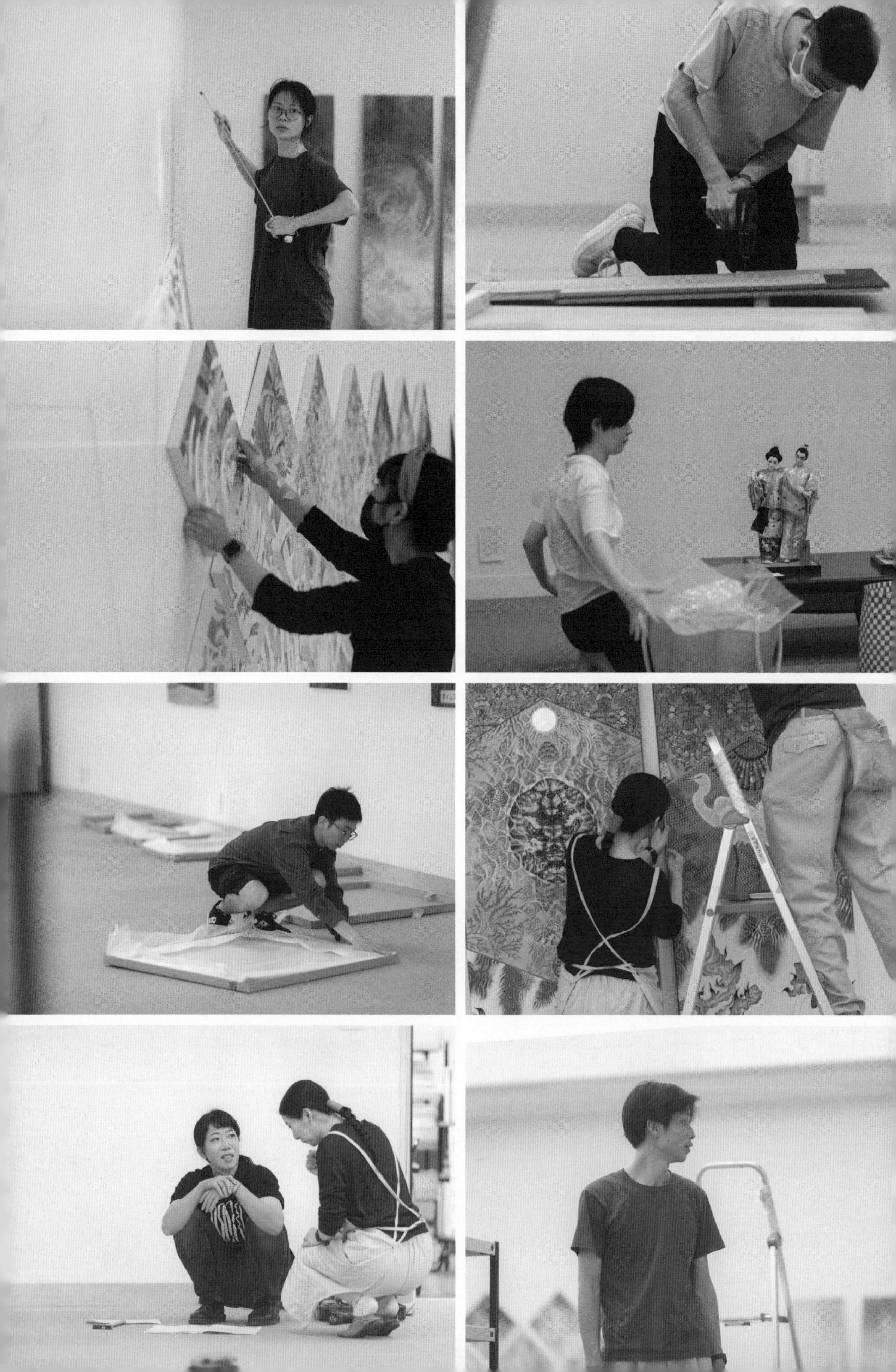

バラバラなるものたちのアソシエーションとしての「沖縄画」

Okinawa-Ga: as an Association of Disparate Things

土屋誠一｜TSUCHIYA Seiichi

はじめに

私は東京の隣にある、神奈川県で生まれ育った人間である。たまたま縁があって、沖縄に立地する芸術大学の教員になり、教育・研究活動を行っているが、沖縄における私の地縁・血縁的立場は、沖縄とはまったく無関係の、余所者以外のなにものでもない。沖縄の近現代史を知っている者であれば、言わずもがなであるが、沖縄はそもそも琉球国という一国家であり、日本がそれまでの幕藩体制から、西洋列強に倣うように、近代国家としての国家制度を整備するなか、いわゆる「琉球処分」（1872-1879年）を経て、「沖縄県」として、近代日本に併合された植民地化された地である。加えるに、沖縄に対する日本政府の「植民地化」は継続しているとも言え、「日本国とアメリカ合衆国との間の相互協力及び安全保障条約」、すなわち日米安保体制に基づく、在日米軍基地の基地面積の70パーセント強が、沖縄県に手中するという不平等が強いられている。日米安保・日米同盟の是非をここで問うことはしないが、基地施設が確率論的に低くはない危機として、沖縄県民に騒音や物理的な危険といった、恒常的不安を与えているのは事実であるし、基地施設の展開に基づく具体的な被害も少なくない。そうしたNIMBY的施設を、沖縄に押し付けているのは、そうした国政を是としている日本国民であり、非沖縄県系人である私自身、そうした押し付けに加担している植民者の末裔であると、立場としてはそうであることを認めざるを得ない。

とはいえ、植民者の末裔として、自らの恥辱を、反省していればいいという単純な話ではないことは、2009年に沖縄に居を移して、今日までこの地で様々な人々と出会いながら、学んできたことである。人々の地理的流動性が高まる中、旧来のようにウチナーンチュ（沖縄人）／ヤマトゥンチュ（大和人、非沖縄の日本人）という二項対立だけでは、割り切れない襞が、そこここにあり、そうした襞を眼にしたうえで、私自身が無限の恥辱に耐えるだけでは、そもそもこの地に住み、教育をし、研究を行い、批評活動を行う上で、この地に対して、なんの寄与をすることにもならないことに、徐々に気付くことになる。19世紀後半から20世紀においては、パリやニューヨークを中心に、そして、グローバリゼーションの時代を迎えてからは、中心地は拡散してしまったが、美術という営み（制作のみならず、鑑賞の機会や、市場も含めて）が大都市の人的・経済的インフラストラクチャーに根差すものであることは、ある程度客観的な事実であることは認めざるを得ないだろう。しかし、周縁部での活動であってもなお、そうした中央集権的な、巨大な資本の力学が働く場とは異なるローカルな営みが、ローカルなままでその意義を発揮することは不可能ではないはずだ。加えて、今日そうであるような、国民国家の単位は維持されつつも、グローバル資本主義の力がこの世界を支配するような状況から、完全に逃れることは不可能だとしても、美術という営みを介した「別の共同体」のあり方は可能なのではなかろうか。これがまず、この展覧会において提示したい、最初の問いである。

そのような問いを抱えつつも、「沖縄」と一言でいっても、いったいどこにその実体が存在するのか、にわかに判断できないぐらい、多様なアイデンティティを抱えた人々が、あたり前に存在する。決して一枚岩ではないのだ。本展の出品作家の、各々の出自について、逐一説明することは差し控えるが、この展覧会に作品を出品するたった8人ですら、それぞれに異なる地縁・血縁的、それに伴う文化的コンテクストを持っており、むしろ共通点のほうが少ないほどである。つまり、今日の沖縄の実情がそうである以上、与件として提示することが可能であるような、単一の「沖縄」的なイメージなどどこにもない、ということを、積極的に提案したいということが、この展覧会の狙いと言ってもいい。

「沖縄画」への前提条件

そのため、本展における、出品作家の選択の根拠について述べておくと、「沖縄」に関わっている比較的若手の作家という条件以外に、その選択の意図を込めていない。単に、それぞれの作品が依って立つコンテクストに沿って、優れた作品を提示している作家を、8人選んだだけである。だから、各々の作家による作品の特質については、観るべき点が少なからずあることは、自信をもって保証するが、実際にそうなっているように、各々の作家たちのスタイルや特徴は、てんでバラバラである。これは、たまたま結果的に、そうなっただけであって、あらかじめ意図して、スタイルが根本的に異質な作品群が衝突し合うように狙ったわけでもなんでもない。展覧会のディレクターが、出品作家のセレクションを行う際に、ディレクターの好む作品の傾向が反映されるのは、しばしば見られることであるが、本展を組織するにあたって注意したのは、ディレクターである私自身の嗜好をあえて反映させないことだ。本展のテーマの不統一感があるとするならば、それこそが本展において、私が意図したことが結果的に現実化していることの現れだ。統一的な像をグループ展という枠組みで明示するよりも、バラバラであることをそのままに提示する不透明性のほうが、今日における沖縄の美術の断面を提示するにあたって、適切だと判断したためである。ただ、彼／彼女らにおいて共通して言えることは、明示的な抵抗のメッセージを作品に込めるかどうかとは関係なく、上述したような「沖縄問題」に由来する「構造的差別」[1]に対して、憤懣と遣る瀬なさを感じつつ、また同時に、「沖縄問題」という語が指す「沖縄」という地に対して、アイデンティファイの欲求を持ちつつも、完全に包摂されたくはないといったような、アンヴィヴァレントな感情を抱いているように、少なくとも私の観察からは、思われる点だ。

このことは、地域共同体である沖縄と、国民国家である日本とのあいだで、そのいずれにもアイデンティティのよすがを求め難いといったような、エミール・デュルケームの言葉を借りれば「アノミー」的状態にあると言ってもよいかもしれない。もちろん、例えばカトリーヌ・マラブーの議論に従って、アイデンティティの可塑性を認めることは自然なことではあるし、そうした可塑性を積極的に肯定することもまた、可能であろう[2]。こうしたマラブーの議論に、原則的には私は同意する。けれども一般的に言って人は、そう簡単に、自らのアイデンティティを恒常的な可塑的状態に置くことに、耐えられるであろうか。国家・民族・宗教・性etc.といった、さまざまな属性の「はざま」において、どこにも定位し難い状態に置かれざるを得ない者に対し、アイデンティティの可塑的状態に耐えろと命令するのは酷である。

ともあれ、先述したとおり、現在の「沖縄」は、この地にかかわる全員がとまでは言わないものの、いわゆる「複合的アイデンティティ」を抱えているし、こうした複合性は、肯定的に機能する場合もあれば、同時に耐えがたい「引き裂かれ」をももたらすこともある[3]。そうした事態は、近代化の過程において、人々がアトム化していくことの帰結であるし、グローバルな流動性が高まれば高まるほど、必然的に加速化していくことである。これは、必ずしも沖縄という地に限って起こっている事態ではなく、とりわけ周縁化されがちな地域において、世界的な共通性を持つ、進行形の事態である。しかし、複合的アイデンティティが肯定的、あるいは否定的に機能するにせよ、そうした分裂状態にこそ、むしろ積極的な可能性を見出したいと思う。だからこそ私は、沖縄から提示することが可能な枠組みとして、「沖縄画」というコンセプトを提出しているのである。「沖縄画」というコンセプトの内実は、来たるべきアソシエーションの可能性を、美術というジャンルによって提示すること、これである。

「沖縄画」の成立条件とその背景

では、「沖縄画」とは、そもそも何を指すのか。この「沖縄画」というキーワードは、様々な先行事例を検討しつつ、論理展開としてはあらゆる不適切な選択肢を排除した結果、導き出された概念である。ゆえに、所与としてポジティヴに規定できる概念ではなく、ネガティヴィティ（かつて、ロザリンド・クラウスが、ポストモダン以降の彫刻という概念を、否定弁証法的に描き出したように）によって導き出されつつ、同時に、積極的に提案する概念である。ただ、画家の三瀬夏之介と鴻崎正武を中心に展開されている、「東北画は可能か?」（2009年～）という取り組みに、強い刺激を受けたことは明記しておきたい。石倉敏明は、このプロジェクトに対する論評において、的確な指摘をしている。

> 「東北画は可能か?」という問いを掲げるこのプロジェクトは、「日本的なるもの」に先だって生成する、非国家的な多元性に向かう。それは、いわば「いくつもの非日本」として変形された多孔的な現実の別名であり、国家とは位相を異にするゾミア的歴史への介入を目指す。もしそうであるならば、「東北画」とは、私たちが異なる存在のカテゴリーに対峙し、近代的な人間性のイメージを越境しようとするときに発現する、潜在体としての絵画であると言えよう。[4]

ジェームズ・C. スコットによって分析的に論じられた、「ゾミア」という地名かつ概念的用語に寄り添って、石倉が述べる「非国家的な多元性」から、古くはラテンアメリカの部族社会のフィールドワークに基づいた、ピエール・クラストルの『国家に抗する社会』（原著：1974年）を想起してもいいだろう[5]。ただ、「東北画は可能か?」と「沖縄画」の根本的な差異について、強調しておきたい。それは、「東北画は可能か?」という、オープン・エンドかつ、ワーク・イン・プログレス的な取り組みが、コレクティヴかつ美術の専門教育プログラムとしてあるのとは異なり、「沖縄画」という試みはむしろ、8人のアーティストという、個々にバラバラなエージェントが、展覧会というテンポラリーな枠組みではあるが、アソシエーションを結果的に構成することを目論んでいるという点である。「結果的に」と記したように、与件として「沖縄画」なるジャンルが実在し、本展の8人のアーティストたちが、その枠組みに包含されるのではないことは、強調しておきたい。「沖縄画」というワードが、実体的な集合名として機能することは、本展の企画者である私自身がそう期待しているわけではないし、また、本展に集った8人のアーティストたちも、その名称のもとに括られることを、むしろ拒むはずである。ゆえに、「沖縄画」とは、実体概念ではあり得ないと同時に、機能概念であるとともに、その機能がある特定の目的をもって作動するのかを、与件として設定しているわけではない。むしろ、この展覧会というテンポラリーな枠組みにおいて集ったエージェントたちが、事後的にアソシエーションとしか呼びようのない共同体のモデルを、結果として創出することに主眼が置かれている。端的に言えば、「沖縄画」とは、芸術のある傾向を指し示すジャンル名では一切なく、来たるべき共同体の仮の名称なのである。

また、「東北画は可能か?」が、否定的な先行概念として設定しているであろう、「日本画」という近代国家としての日本を建設する過程において仮構されたジャンルに対する違和感もまた、「沖縄画」は共有している。本展に出品する平良優季や仁添まりなは、芸術大学在学中の所属セクションは「日本画」であったが、ともに沖縄にルーツを持つ彼女らにとって、上述した、日本の近代化に伴う琉球・沖縄の植民地化の歴史を思えば、この、近代国民国家形成時において、文化政策的要請から設立された疑似（広義の）古典主義的絵画ジャンルを背負うことの違和感は、想像にあまりある。とはいえ、これまで述べてきたように、いくら沖縄にルーツを持とうが、沖縄で営まれている、あるいは沖縄にかかわる絵画的実践を総称して、「琉球画」と呼ぶには抵抗があるのも事実である。なぜなら、近代以前の日本の絵画を「日本画」とは呼ばないのと違い、琉球・沖縄においては、琉球国時代の絵画については、「琉球絵画」と呼ぶことが、既に定着しているからである[6]。今日沖縄において描かれる絵画に対して、「琉球画」という名称を仮に使用するとなると、そのコノテーションは、復古主義的な意味を指すことになる。ゆえに、本展が認識するところの、現代の沖縄の、一元化しえない多数性が、不可視化されてしまう。そのため、沖縄という地名が、この地において自ら選び取った名称でないとしても、この地の「現在」の一断面を切り出すためにあえて「沖縄画」という名称を使用する。

加えて、本展は、現代沖縄における、ジャンルとしての絵画の動向を紹介することを目的としていないことも、強調しておく必要があるだろう。「沖縄画」という名称は、先述した「東北画は可能か?」とは別に、あともうひとつの参照項を持つ。それは、ヴィム・ヴェンダースが映画作家としての国際的な評価を確立した名作である、『パリ、テキサス』と『ベルリン・天使の詩』との間に発表された、『東京画』（*Tokyo-Ga*、1985年）だ。この優れた映画作家のフィルモグラフィにおいて、『東京画』は出来のいい作品とは言い難い。しかし、1930年前後から1960年代初頭にかけて、ヴェンダースの敬愛する小津安二郎が、その物語映画において舞台としてきた東京という土地のイメージを想起させつつ、1980年代前半において、小津の作品が捉えた東京のイメージの残余を、ヴェンダースが改めてフィルムに収めようとするこの作品は、本展のあり方にインスピレーションを与えるものだ。というのも、ひとつは、*Tokyo-Ga*という、翻訳不可能な、音声表記がタイトルに採用されることで、「画（Ga）」というものが、絵画を指すのではなく、特定の土地が持つ、想像的なものも含めた視覚的イメージ全般を指しているという点。そしてもうひとつは、ある特定の地域の名称をテーマとしても、その全貌を捉えることがそもそも不可能であることを踏まえつつ、時間的な遅延によって、地名が指すイメージ自体を、延々と取り逃さざるを得ず、イメージの指示対象が現前することが、不断の先延ばしの状態になる、という点である。両者とも、ジャック・デリダの音声中心主義に伴う現前の形而上学に対する批判、そしてその実践概念であるdifférance（差延）という戦略とも、通底するものである。

こうしたことは、沖縄における歴史の重層性を作品として固体化する際に、例えば日本の敗戦後における、沖縄の日本への「復帰」（すなわち、アメリカ合衆国から日本への、沖縄の施政権返還協定の施行、1972年）を今日捉えようとしても、「復帰」以前のアメリカの施政権下における沖縄の様子を、総体としては捉え難いということと重なる。だから、「沖縄画」（*Okinawa-Ga*）とは、出品作家のラインナップを見てのとおり、沖縄という地の視覚的イメージの再現を目指しているのではない。加えて、今日の「美術」と呼ばれるものが、必ずしも旧来的な絵画や彫刻といったジャンルによってのみ規定されているのではなく、映像やインスタレーションなども含みこむことが、ごく当たり前になっていることを踏まえ、表現媒体による限定も設けていない。このことは、沖縄という場にかかわりつつ、美術というジャンルにおいて表現を行っている気鋭のアーティストの作品を一堂に会することによって、「沖縄」という地のイメージの一断面が、事後的に立ち上がることを目指すがゆえである。とはいえ、「沖縄画」が、「琉球処分」から沖縄戦を経て、米軍統治下の時代をくぐり抜けて戦後国家としての日本に「復帰」し、今日に至るという歴史経験と断絶しているわけではない。歴史家たちの努力によって、琉球時代やそれ以前はもとより、近現代の沖縄の歴史は、今日もなお、紡がれ続けている。沖縄における美術の歴史的展開もまた、先人たちの努力によって、通時的歴史として編まれてさえいる[7]。しかしながら本展は、そうした歴史の歩みの掉尾にあるという正統性を主張するものではない。正統性の主張は、権威のポジションの、陣地の取り合いにしかならないからだ。そうではなく、歴史の首尾一貫性などそもそも語ることの不可能であるような、バラバラなエージェントの集合（アッセンブリッジ）であることを目指すものである。

アナ・チンが強調するように、不安定なエージェントであることは、非目的論的な出会いを誘発する世界を形成するものであり、「不確定性もまた、生を可能たらしめるものである」[8]。本展の最も重要な課題とする目的は、まさにこうしたことである。軸足を置くにせよ、ゆるやかに繋がるにせよ、沖縄という地にいかに寄り添いつつ、私たちが生存していけるのか。そうした「生」にかかわることこそが、本展が示そうとしている、アソシエーションのモデルである。ゆえに、沖縄における先人たちがその営みのなかで紡いできた「歴史それ自体」には充分敬意を払いつつも、「歴史主義」的な正統性を主張することは目的としない。むしろ、歴史の弁証法に解消され得ないような、マイナーな運動が、主導的な歴史のナラティヴの任意の出来事に、結果的に新たな角度で光を当てることを、望むものである。

ともあれ、先のアナ・チンのような、近年の文化人類学の成果とは全く異なる文脈で、戦後沖縄において稀有な映画作家である高嶺剛（1948-）のフィルモグラフィを追いつつ、高嶺の物語映画のなかに、「みずからのアイデンティティを拠り所とするマイノリティがいない」と、新城郁夫は断言する。マジョリティとマイノリティとの境界線を引くことに、徹底して抵抗する新城は、そうしたマイノリティの不在に対して、次のような潜性力を見出している。

マイノリティがいなくなるとき何が生まれるのか。それは、マイナーという小さく少ないものたちの、限りなく派生的な連なりと交わり、そして、あらゆるマイナーなものの混在と陥入である。

一人が限りない分裂と融合をはたして、別の何ものかとなったみずからと交わっていくのが高嶺映画を生きるものたちである。風景や音、あるいは風や記憶を含むこれらの生きものたちは、自分でないものを自らのなかで生成させてこれに乗っ取られていく変成体である。そうである以上、それらが一つのポジションを占めるマイノリティとして存在するべくもない。あるのは、ポジショナリティの無限の転位であり、固有性と独立への求めのなかでマイナー化していくものたちの不可視の「連帯」への蠢動以外ではない、基本的にあらゆるものが円環的な鎖のなかで流れ去っていくだけなのである。[9]

この、ドゥルーズ／ガタリ的な、マイナーなものの生成変化のヴィジョンは、とりわけポストコロニアルおよびジェンダー理論の観点から、文学やその他芸術、そして沖縄の同時代の言論や政治を論じてきた新城のスタンスと、先のアナ・チンのような言説とは、学術分野的な専門性はまったく異なれど、ほとんど同じことを主張している。すなわち、不安定なバラバラなエージェントが、非目的論的に振舞うことで、協同による生成変化をつくりだす。「沖縄画」もまた、そうしたマイナーなものが生起する場として、設定されたものである。

「沖縄画」展の出品作家について

では、今回その作品が展開される、8人の美術家たちの、各々の仕事の特性について、手短ながら論じていきたい。泉川のはな（1991-）の作品は、「沖縄らしさ」というイマジナリーかつ多面的なイメージを、それらのズレも含めて、いかに絵画上においてダイヤグラム的な表現として実現するか、この点が彼女の作品の、批評性となっている。現代の沖縄の光景をモティーフにするという点では、この泉川のスタンスを、髙橋相馬（1992-）は部分的に共有している。沖縄の街路で見ることのできる、なんでもない風景を、インターネット・ネイティヴの世代らしく、いったんコンピュータ上で違和感のないように加工し、それをトレースして描く。結果的に、髙橋の描く光景は、現実の場所にはどこにも完全には対応しない。とはいえ、いかにも沖縄の都市部に見られる光景が持つヴァナキュラーな特質は保持しており、いわば生活者の目線から、均質化していく都市の風景の残余を、マイナーな輝きとして拾い集めようとしているのである。

青い海、カラフルな植物。南島に対して抱くステレオタイプなイメージは、おおよそそのようなところだが、そうしたステレオタイプな見られ方については、沖縄で生活する人間は嫌うことがしばしばである。平良優季（1989-）は、ともすればステレオタイプに見られかねない色彩をも、あえて大胆に取り入れる。これは、無自覚に「沖縄イメージ」を再上演しているわけでは当然なく、平良の意識的な選択であり、方法である。外在的に与えられた沖縄イメージを与件としつつ、それでもなお、沖縄において絵画表現がいかに可能か、それが平良の問いであるとも言えよう。西永怜央菜（1995-）は、沖縄での人々の暮らしの記録を通じ、切り紙絵やそのインスタレーションによってそれを再構築する。沖縄の伝統的文化と、戦後占領期のアメリカ文化との混淆を語ると同時に、そうした複合的アイデンティティが、沖縄という場に限るわけではなく、東アジア、および東南アジアに共通するものであり、切り紙絵や既製品、そして言葉とのブリコラージュによって、国境を越えたネットワークを切り結ぶものであることを明るみに出す。

仁添まりな（1993-）は、みずから「琉球画家」をその肩書とする画家であるが、実際、彼女の作品のスタイルは、中国大陸との文化的交渉も含めた、琉球時代の絵画の深い知見と研究と、それを実現する技術的研鑽に支えられている。とはいえ、彼女の作品が、琉球という過去へのリヴァイヴァルのみを意味しているかと言えばそうではない。実際、装飾的パターンの中には、西洋のそれが使用されていることすらある。あえて選択された反時代性が、むしろキッチュに漸近してすらいるという点において、逆説的な現代性を獲得していると言えるだろう。キッチュという点では、寺田健人（1991-）の仕事が、スタイルはまったく異なれど、仁添と共有している。寺田は写真を使用するアーティストではあるが、彼が根本的なテーマとしているのは、ジェンダーの問題である。内面化されてしまう社会的規範としてのジェンダーロールと、個人のジェンダーアイデンティティとの不一致がもたらす、とりわけ前者に対する根本的な疑念と、同時に、規範に対する憧れといった、アンビギュアスな心情を、ときにキッチュですらある表象において、全面的に打ち出すことが狙われている。寺田の作品は、沖縄のどのようなモティーフを被写体としても、そこにジェンダー化された政治的力学が作動していることを開示するのだ。

陳佑而（1986-）は、アーティストであり、かつ、動物園の職員でもあることが、彼女の人生において不可分なアイデンティティとしてあるようだ。多様な生物の種に恵まれた沖縄を拠点とすることは、陳の生きものに対する関心事からすれば、必然的な選択なのだろう。その展示は、動物の彫刻作品を提示するのみにとどまらず、ドローイングやドキュメンテーションなどと複合的に、様々なオブジェクトが呼応するようなインスタレーションとして提示される。陳の根底には、人間も含めた多様種のネットワークを擁護する思想に貫かれており、人新世以降の環境や生命の倫理的ヴィジョンをも、開示するものである。陳の仕事は、この展覧会の理論的なフレームを、その実践において実証してくれるようですらあるが、陳に限らず、ここまで紹介してきたアーティストとは異なり、湯浅要（1994-）の作品は、一見すると展覧会のコンテクストとそぐわないように見えるかもしれない。湯浅の作品は、西洋のモダニズムの絵画のヴォキャブラリーを踏まえ、フィギュラティヴな絵画として、ユニークな特質を維持している。とはいえ、彼の作品の特質は、フォーマリスティックに記述できる点のみに限るわけではなく、絵具の薄い層を描いては拭うことを繰り返すことで、多層的かつ一義的ではない絵画面が実現していることであり、モティーフに、彼自身の個人的な記憶が使用されることにあるだろう。個人的な経験それ自体は共有できないが、経験の積み重なりのプロセス（これが絵画面に実現される）は共有できるといった、センティメントと豊かさとが、彼の作品の魅力を形成している。湯浅は、沖縄を制作の拠点としていることを除くと、先述したように、沖縄のローカルなコンテクストと無関係であるように見えるかもしれないが、むしろ、ローカルなそれを除いても、バラバラな他者と、バラバラなままで共に生きることを、絵画において実現しているという点で、本展の目指す地平のモデルの典型的な仕事であるとすら言える。「沖縄画」の射程は、そこまで長いものであることを、強調しておきたい。

JN072668

アソシエーションとしての「沖縄画」

さて、当然の疑問として問われるであろう、「沖縄画」という名称の枠組に参入できる権利について述べておきたい。ここまで繰り返し述べてきたように、「沖縄」と一言で言っても、一枚岩としてのその規定は、実質的に不可能である。場合によっては、その地名的限定が、極めて排他的に機能することもあり得る。冨山一郎は、「沖縄学」の創始者たる伊波普猷の、沖縄戦が差し迫る際に述べられた「今や皇国民という自覚に立ち、全琉球を挙げて結束、敵を激撃」せよという「転向」の論説を引きながら、そのアンヴィヴァレンスを引き受けつつ、次のように述べる。

> そして、総ての人は臆病者なのだ。だからこそ、決起した者たちが垣間見た未来を、決起した者たちの独占物にすることなく、その者たちからすれば裏切り者と見なされる存在において、確保し直すことが必要なのだろう。[中略] 思想とよばれる言葉の役割は、そこにあると私は考えている。したがって、逃げ出した者、屈服した者を、「臆病者=裏切者」として思考しようとしない思想は、その役割を忘れているといってよい。[10]

この冨山の問題提起は、実践的には実現は困難であるだろう。私たちは、包摂と排除の欲望にしばしば敗北し、「臆病者=裏切者」を即座に排除しがちだ。これは、インターネットが一般化し、コミュニケーションの情報量が増大すればするほど、私たちが観察してきたし、場合によっては排除の暴力を行使する当事者にすらなってきたという、うんざりするような確認をせざるを得ない実態ですらあるだろう。だからこそ、それがいかに困難であろうと、理念的には、冨山の問題提起は正しいと認めるべきであるし、私たちが目指すべき未来でもある。ゆえに、「沖縄画」というフレームは、内側と外側を、包摂と排除の関係を強化するものではない。だから、「沖縄画」に参入できる権利は、この地においてゆるやかに繋がり、この地域共同体を少なくとも文化的に豊かにすることを願う者であれば、権利も資格も問うものではない。そうした、展覧会という一時的なものではあれ、来たるべきアソシエーションとして、本展は構想されている。

私はここまで、この展覧会に対して、「アソシエーション」という用語で規定してきたが、これは言うまでもなく、近年の柄谷行人の理論的な枠組みを借用している[11]。本論冒頭で記した「別の共同体」のモデルとして、「沖縄画」という名称を与えたが、アソシエーションとは一般的に言って、目的論的に組織される機能集団のことを指す。柄谷は手近なところでは、生活協同組合のような事例を挙げているが、「沖縄画」もまた、そうしたささやかな未来への希望として差し出されるものとしてある。それは、美術という営みを紐帯として、バラバラなものたちが、バラバラなままで共に生き延びることの提案である。ゆえに、アソシエーションではあるものの、条件付きのそれである。すなわち、目的論的な共同体なのではなく、非目的的なアソシエーションであり、わずかに目的があるとしても、それは「生存すること」それ以上でもそれ以下でもない。そうした、私たちが私たちの生において、生存のために共有されるべきコモンズのひとつとして、「沖縄画」はある。社会主義思想史上、様々な概念が提起され、実践されてきたが、例えばコミュニズムは権威主義的体制に帰結してしまったし、アナキズムは資本主義と結びつくことで、リバタリアニズムとしてグローバル資本主義の力を強化することになってしまった。ゆえに、強靭で、場合によってはマッチョであるような共同性を提起することを目的にするのではなく、むしろ、脆弱であるかもしれないが、「沖縄」という固有の地名を紐帯とした、バラバラではあるが、ゆるやかな非日常的なアソシエーションを提案することこそ、今日求められているのではなかろうか。グローバリズムのパワーの周縁部に置かれざるを得ない地において、パワーで対抗することほど、虚しいことはない。近代以降の国民国家の枠組みを揚棄することは容易ではないかもしれないが、様々なる「〜画」(…… -Ga)とのアソシエートによって、変革への可能性を見い出すこと、そこに、「沖縄画」という試みの賭金が差し出されている。

1 沖縄に対する「構造的差別」については、以下の書物を参照のこと。新崎盛暉『新崎盛暉が説く構造的沖縄差別』高文研、2012年。
2 カトリーヌ・マラブー『偶発事の存在論—破壊的可塑性についての試論』鈴木智之訳、法政大学出版局、2020年。
3 いわゆる「複合的アイデンティティ」の厄介さについては、チャールズ・テイラーの次の書籍を参照のこと。『自我の源泉—近代的アイデンティティの形成』下川潔・桜井徹・田中智彦訳、名古屋大学出版会、2010年。
4 石倉敏明「『東北』の芸術は可能か?」三瀬夏之介・鴻崎正武監修『東北画は可能か?』カルチュア・コンビニエンス・クラブ美術出版社書籍編集部、2022年、118頁。
5 こうした、国家という枠組みとは別の共同体の可能性として、太平洋戦争後に活動した、沖縄の人文地理学者で民俗学者である仲松弥秀(1908-2006)の諸著作を再読し、国家誕生以前の琉球/沖縄以前における、アナーキズム的共同体のあり方を見て取った、次の拙稿がある。土屋誠一「一九四五以前の『沖縄美術』?」『ゲンロン』3号、2016年、147-165頁。なお、沖縄を活動の拠点とする映像作家・美術家である山城知佳子(1976-)の諸作による、集権的ではない共同体のヴィジョンの提示についても、こうした問題系は通底していると、私は考えている。
6 例えば次の展覧会カタログを参照のこと。『「琉球絵画」展—沖縄県立博物館・美術館企画展』沖縄文化の杜、2009年。当該展覧会に参画した平川信幸が、琉球時代の絵画研究を推進する第一人者だが、近く平川の研究の集大成が、書籍として刊行されるはずである。さしあたり、平川による琉球絵画史研究のパースペクティヴを知るためには、次の論考を参照のこと。平川信幸「琉球絵画の歴史について」『國華』1486号、2019年、27-38頁。
7 沖縄における近現代美術の歴史記述については、翁長直樹による、長年にわたる言説の形成が最も重要である。つい最近、翁長の言論活動の集大成たる、次の著作が刊行されたばかりである。翁長直樹『沖縄美術論—越境の表現1872-2022』沖縄タイムス社、2023年。翁長らの尽力がなければ、本展のような、一見、反歴史主義とすら見えるような展覧会を組織し得なかったことは、言い添えておきたい。
8 アナ・チン『マツタケ—不確定な時代を生きる術』赤嶺淳訳、みすず書房、2019年。なお、こうした視点については、以下の論文にも触発された。奥野克巳「破壊された森とヤマアラシの生—マレーシアの事例から」近藤祉秋・吉田真理子編『食う、食われる、食いあう—マルチスピーシーズ民族誌の思考』青土社、2021年、197-235頁。
9 新城郁夫「高嶺剛論のためのノート」『沖縄に連なる—思想と運動が出会うところ』岩波書店、2018年、129-130頁。
10 冨山一郎「始まりとしての蘇鉄地獄」『流着の思想—「沖縄問題」の系譜学』インパクト出版会、2013年、114-115頁。
11 例えば、以下を参照のこと。柄谷行人『ニュー・アソシエーショニスト宣言』作品社、2021年。

This exhibition explores the idea of presenting the unique works of emerging artists inspired by Okinawa alone as a geographical reference. The aim is to reveal the contemporary characteristics of Okinawa. In doing so, it will reveal, in a comprehensive way, something that is not necessarily painting, and is referred to as '*Okinawa-ga*'.
The framework of '*Okinawa-ga*' can be replaced by any kind of art related to Okinawa, and yet take on the local context of Okinawa. What is fascinating is that this approach is not limited to the geographic, historical, or cultural conditions of Okinawa. It can be developed to connect with other arts as local knowledge in a broader view, such as the transnational context.

沖縄の美術の現在地

The present view point of Art in Okinawa

町田恵美｜MACHIDA Megumi

地域名を付した「沖縄美術」が確立されつつある。しかしながら今回の「沖縄画」展に出展するアーティストは、その美術の系譜に置くことを念頭にされてはいない。その上で、沖縄における美術の流れについて確認しておきたいと思う。

現在、沖縄の美術に関する研究は、琉球王国時代と戦後直後のニシムイ美術村の時代に二極化していると言える。現存する資料の少なさが要因のひとつであり、第二次世界大戦の戦禍により失われたものの大きさを思い知らされる。沖縄はかつて琉球という国家であり、琉球王国時代には中国をはじめとする諸外国との貿易が盛んであった。廃藩置県により日本に併合され、さらに日本の敗戦によりアメリカの施政下に置かれた。強いられた歴史のなかで育まれた沖縄のアイデンティティには抵抗の精神が根底にあり、アメリカと日本の狭間に翻弄され、矛盾と葛藤が相克しながら独自の混成文化を形成してきた。

沖縄の海に囲まれた地理的条件は、外からの侵入、支配のみならず、移民として外へ向かう移動もある。こうした移動によって築かれる他者との関係を「文化を起源（roots）ではなく、経路（routes）から見直そうという視点」[1]で捉えたとき、他者は「抑圧的な支配者」だけではない存在として考えられないだろうか。複数の文化が交じり合うということは幾通りもの領域が存在し、その横断と循環を繰り返す。この流動性が固定化された概念を揺り動かし、表現の可能性を押し拡げていく。他者との関わりのなかで、移り変わりを受け入れる柔軟さを持ち、さまざまな時代の権力に屈せず、独自の価値観を形成していく過程（progress）に沖縄の美術は存在するのではないか。本稿では、ニシムイ美術村から現在に至るまでの沖縄の美術を概観し、「沖縄画」展のアーティストについて述べたい。

第二次世界大戦終戦後、米軍の占領下に置かれた沖縄で復興をめざした美術家たちがいた。米軍の文化政策のもと設立された沖縄諮詢会文化部に技官として雇用された彼らは、文化部の解散後、那覇市首里儀保町に「ニシムイ美術村」と呼ばれるアートコロニーを立ち上げる。その経緯や占領下における米軍との交流については既に刊行されている書籍に詳しい[2]。

ニシムイは、制作や語らいの場として多くの人の出入りがあり、沖展[3]の構想にも関わっている。1950年に琉球大学が設立されると、教員として採用される者もいた。60年代から70年代にかけては沖縄でも前衛的な動きが見られ、グループ耕や亜熱帯派、現代美術研究会などの活動があった。1972年に沖縄は本土「復帰」をする。75年には本土復帰記念事業として、沖縄国際海洋博覧会が開かれ、観光による経済効果を狙うものの歓迎されるばかりではなかった。「復帰」前後に見られた前衛の活動も「-'76展」[4]を以て収束する。

月日の経過に伴い、沖縄も本土との均質化が進んでいく80年代後半、自主画廊「匠」が立ちあがる。アーティスト・ラン・スペースとして、沖縄ではまだ馴染みの薄かった批評や、インスタレーションの手法を取り入れた展覧会を開く。86年には沖縄県立芸術大学、美術科を併設した県立の開邦高校が開学するなど教育現場も過渡期を迎える。また、徐々に沖縄以外でも発表の機会が増えてくる。1996年、東京ビックサイトで開かれたアトピックサイト展において沖縄プロジェクトは政治性の強さから検閲の対象となり、当初とは異なる展示を強いられるなど関係者には苦い思い出となった。

2000年に入り、美術館建設準備室の学芸員等によって前島アートセンター（MAC）が始動する。美術館建設までには長い時間を要し、オルタナティブスペースであるMACの建設と前後するかたちで、2007年に博物館との複合施設として沖縄県立博物館・美術館は開館した。程なくして、MACも活動に終止符を打つ。その後、あらたな動きとして、BARRAK（バラック）ができる[5]。若手の制作の場として、現在も機能している。

「沖縄画」出展作家は、BARRAKの世代にあたる。実際、湯浅要と髙橋相馬はBARRAKにアトリエを構え、共に進学をきっかけに沖縄に移り住んでいる。こうした地縁血縁の縛りではない共同体としての在り方として、BARRAKの活動は、近年アジア各地に派生するコレクティヴを想起させる。複数の土地での暮らしを経験するという点では、出自を台湾に持つ陳佑而もそうだが、それは外から沖縄に来るだけではない。泉川のはなは進学を機に沖縄を離れた時期があり、寺田健人は現在拠点を県外に移し制作を続けている。

西永怜央菜は、幼少期より沖縄本島以外に宮古島やベトナム（ホーチミン）と住居を転々とし、大学の進学先には秋田を選んでいる。彼女は自身の家族史の収集や子どもの頃の記憶を糸口に作品制作を行う。《ハロウィーンの子供たち souvenir room》は、基地内でのハロウィーンの思い出と家族のルーツを「お土産」という切り口で、オブジェ、テキスト、写真などによって展開している。オブジェのひとつである「琉球人形」は、戦後の手工芸品として、沖縄の風俗をあらわした人形で、米軍人向けの土産として人気を誇った。やがてそれらは、沖縄の一般家庭にも飾られるようになっていく。本展では他にも「土産」を切り口に幾つも語りが混在する。西永の作品はきわめて私的な事柄を取り上げながら、幾つかの語りを頼りに、沖縄全体に潜む諸問題を浮き彫りにする。その視点は批評性を伴い、自身の置かれている立場からの社会的介入と言える。《ハロウィーンの子供たち》は、別バージョンとして切り絵と影絵のインスタレーションでの構成もある。細工が施された切り絵が、灯かりに照らされ影絵となり、それらが混在した空間は、ひとつの物語として読むことができる。手法としては、インドネシアのワヤンに近く、近年は切りだされた絵に動きを伴った映像作品も手掛ける。

批評的な視点と言うならば、寺田もそうだろう。第二派フェミニズム運動におけるスローガンである「個人的なことは政治的なこと」の実践として写真を主な媒体に、「性」がもたらす社会的規範への懐疑を示す。近作〈想像上の妻と娘にケーキを買って帰る〉は、家族写真の体裁を取りながら、写っているのは寺田のみである。それは、一緒にいるのが誰かを想像する余地を与える。今回発表した〈the gunshot still echoes〉は、これまでの寺田の仕事からは異色に見えるかもしれない。街中に残る沖縄戦の傷跡である銃跡を撮り、その銃跡部分に薬莢を流し入れる。薬莢で覆われた箇所は、瘡蓋のようでもあり、癒しと風化させない徴としての双方を担う。

西永や寺田が沖縄の歴史に関心を持ち、自身のアイデンティティと重ね合わせ、作品にしていく理由は出自だけでは括れない。沖縄は先天的な条件だけでなく、それぞれが複雑な存在として共存する場所である。絵画における見当識を主題とする湯浅は、沖縄をモチーフに作品を手掛けてはいない。そのことは必ずしも沖縄（が抱える）問題に関心がないことを意味してはいない。むしろ、日々の暮らしのなかで受け取る些細な出来事は、彼の思考となり、絵筆を介して画面に向けられている。出自と関係のない土地に暮らすというのは、容易ではないはずだ。描いては消す、を繰り返す湯浅の絵画には、思考の蓄積とそれに縛られないあらたな回路が拓かれている。仮に、湯浅の作品を「沖縄画」とすることに疑問を抱く人がいたら問いたい。それは、自身がつくりあげた沖縄イメージに捉われているのではないか。

沖縄において繰り返される〈世替わり〉が人びとに与えた影響は甚大で、加えて島嶼県であるがゆえの複数性とそれらが絡み合う複雑さが横たわっている。若い世代とされる彼らもまた同時代の空気をそれぞれの感覚でつかみ取り、表現として応答している。その表現は、沖縄における美術の歴史に組み込まれる手前の現在地として示されている。

1 太田好信『トランスポジションの思想』世界思想社、1998年、166頁。

2 翁長直樹「ニシムイ美術村コミュニティ」『沖縄美術論』沖縄タイムス社、2023年。『戦後70年特別企画展―ニシムイ太陽のキャンバス展』［記録集］沖縄県立博物館・美術館、2016年。浦崎彦志、仲井間憲児編『わが心の美術村 にしむい』自費出版、2015年を参照。

3 沖縄タイムス社が1949年に始めた沖縄戦後初の美術の公募展。

4 1976年にタイムス・ホールで開かれたグループ展。参加作家に豊平ヨシオ、喜村朝貞、新垣安之輔、新垣安雄、山城見信、真喜志勉。

5 2014年に沖縄県立芸術大学の卒業生を中心に那覇市大道に開設。2017年から現在の旧美術予備校の3階建てのビルに拠点を移す。

The term “Okinawan art”with a regional name is being established. However, the artists in the *Okinawa-ga* exhibition don’t have that lineage. I would then like to confirm the flow of art in Okinawa.
What we know today as Okinawa was formally the Ryukyu kingdom, an independent state with strong trade links with a number of countries including China. Following the Meiji restoration and the abolition of the han system, the kingdom was annexed by Japan, and in the wake of Japan’s defeat in the second world war, it was placed under American jurisdiction. Okinawan identity has been shaped by the need to respond to the contradictions and conflicts inherent in its problematic status as an interface between Japanese and American interests, but its history of oppression has also contributed to a deep sense of resistance amongst Okinawan people
Surrounded by sea, Okinawa has always been susceptible to invasion and foreign rule – but the process is two-way, for Okinawans have also left the islands to make lives elsewhere. These inward and outward flows have facilitated important encounters with the Other and they force us to reconfigure the way we think of Okinawan culture: not necessarily in terms of cultural roots, but in terms instead of cultural routes. Understood in this light, we can come to understand the Other as something more than the oppressor, even as a source of cultural influence. This paper provides an overview of Okinawan art from *Nishimui* to the present.

沖縄の〈日本画〉—海外からの視点

Nihonga in Okinawa from an overseas perspective

富澤ケイ愛理子｜Eriko TOMIZAWA-KAY

海外の「日本学」の中で「日本美術史」は比較的マイナーな学問である。その中で、研究対象としてまだ評価が定まらないジャンルの一つが〈日本画〉であると言えるだろう。〈日本画〉は、ジャパニーズ・スタイル・ペインティング（Japanese style painting）「日本的な絵画」、あるいは「和風絵画」の意味[1]と長年英訳されてきたが、ここ10年はジャパニーズ・ペインティング（Japanese painting）と訳されることが多い。また、〈日本画〉が国内外に日本の近代性をアピールする目的で生まれた近代日本国家の産物（フィクション）であると認識されてきている。

〈日本画〉への関心は海外では浮世絵、工芸作品、そして近世以前の日本絵画に比べてコレクション数も圧倒的に少ないこともあり、決して高くはない。欧米で〈日本画家〉と知られているのは、海外コレクターに人気のあった幕末から明治にかけて活躍した奇想の画家として知られる、（日本画家と呼ぶことに疑問視する声もあるだろうが）河鍋暁斎と、ジャポニスムでも注目される渡辺省亭くらいだろう。その一方、日本の国民的画家、横山大観や菱田春草の作品を見たことが無いと言う海外の日本美術愛好家は少なくない。筆者はロンドンでの学生時代、日本美術に関心を持っていた日本学を教える教員に明治の〈日本画〉を図録で見せたところ「きれいだけど、つまらないね」と言われたことがある。他にも、「バブル期の日本で高額な値段で売買されていた〈日本画〉の魅力がさっぱり理解できない」という外国人研究者のコメントを見聞きしたこともある。

「〈日本画〉の魅力がわからない」という言葉は、日本画の誕生と発展の歴史に関心を持ち、日本画の素材・技法・画題に大きな魅力を感じていた筆者の中で「魚の小骨」のごとく胸にひっかかったまま、月日が経っていった。新しい〈日本画〉の魅力に気づくきっかけを下さったのは、沖縄県立芸術大学教授の小林純子氏だった。筆者が勤務する大学で主催したシンポジウム「沖縄の文化と美術」にて基調講演をしてくださった小林氏から、沖縄県立芸術大学が1986（昭和61）年に開校し、〈日本画〉教育が始まったこと、それから30年あまり、卒業した〈日本画〉家たちは地道に制作を続けていることを教わった。また、東洋の伝統的な画材や技法に興味があって〈日本画〉を選択しながらも、沖縄の置かれた状況下で〈日本画〉を学ぶことの意味を考えざるを得ない状況にある学生がいることも知った。[2]

緊急事態宣言下に訪れた沖縄で、筆者は今まで学んだ「洋画対日本画」「日本対西洋諸国」というありきたりの二項対立では収まらない、沖縄の多様性と歴史の重層さを体現する〈日本画〉に出会う。それぞれの作品には〈日本画〉の技法や素材を活かしつつも、独創的な画題、色彩、沖縄の湿度さえ感じさせる質感を持つ沖縄の独自性があり、沖縄で「今」を生きる作家が「沖縄」と「日本」との距離を客観的に見つめ、日本画の「型」にはまらない自由さがあった。また「歴史」と「伝統」を再考する中で生まれた作品を通して、〈日本画〉をトランスナショナルに捉えて論じることの大切さを改めて学んだ。しかし、ここで強調したいのは、中国・日本・アメリカとの文化や人々との「コンタクトゾーン」である沖縄で生まれた美術作品を「ユニーク」「新鮮」という言葉で単純に論じるわけにはいかないということである。なぜなら、「沖縄」の重層性、複雑性が沖縄の現代作品の根幹にあるからだ。沖縄で描かれた〈日本画〉が県外で展示されるとき、観衆はしばしば作品に何とも言えない「違和感」を感じる時があるだろう。それは、物理的距離感、歴史的に異なる背景を持つ沖縄で〈日本画〉を描くことに対する疑問であり、「沖縄らしさ」を纏った〈日本画〉が、一般的に〈日本画〉に求められてきた規範と異なることによるものだと考えられる。そこには「沖縄」と「日本」の物理的・内面的な距離と言った「境界」の存在が浮き彫りになる。

「なぜ沖縄で〈日本画〉を描いているのか」と、県外の展覧会で日本画を出品するたびにしばしば聞かれると教えてくれたのは、沖縄県立芸術大学絵画専攻〈日本画〉出身の平良優季だ。日本画の素材に惹かれ、沖縄ならではの色味と沖縄で身近にある植物や生物をモチーフに取り入れた作品は、本土の〈日本画〉に見慣れた観衆の眼を奪う。絹または麻と岩絵の具の定着と発色をよくする寒冷紗を重ねた地に、色鮮やかでありながらも透明感とハレーションを起こしたような光を色と重ねることで重層感と共に表現する。その一方、繊細でありながら確かな線描で沖縄に馴染みのある題材（クロトンやリュウキュウアサギマダラ等）の魅力を最大限に表現する作品は観衆をその幻想的な世界感にひきこむ力がある。平成元年生まれの平良はいわゆる「復帰っ子」とは異なり、「本土」「沖縄」の距離感が比較的近く、その距離を客観的に見つめる軽やかさと柔軟さがある。今、平良は〈日本画〉の持つ重層性に着目し、「沖縄で〈日本画〉を描くこととは何か」「〈日本画〉とは何か」という二つの命題に作画活動を通して向き合っている。

〈日本画〉をめぐる「違和感」は決して「沖縄」対「本土」という二項対立だけにとどまらない。沖縄の中でも〈日本画〉に対する「違和感」は存在する。明治時代、国家的絵画として生まれた〈日本画〉は、本土から沖縄、朝鮮、台湾へと〈日本画〉教員を通じて紹介される。明治政府による「近代美術教育」は沖縄にとって「琉球絵画の終焉」を意味する。だからこそ小林純子氏が述べるように、「沖縄で〈日本画〉を描き続けるには、ある種の覚悟が必要なのだ」[3]。明治時代に終焉を迎えた〈琉球絵画〉は途絶えたと思われたが、21世紀に入り、琉球絵画の模写や保存事業を通して、琉球絵師の手わざや技術を学び、琉球絵画を復興させる動きが高まってきている[4]。沖縄県立芸術大学で〈日本画〉の技法を習得した仁添まりなは、琉球や中国絵画の模写などを通して中国花鳥画の線描、顔料の使い方を身につけた。今回の展覧会出品作品からも、彼女が描くモチーフに対する深い愛情が感じられるとともに、観衆は琉球・沖縄の豊かな歴史と多様性に肌感覚で触れることができる。仁添は自ら「琉球絵師」と名乗り、中国絵師の技術を受け継ぎながら現代の琉球絵画の再生をめざしているが、彼女の作品をトランスナショナルに捉えることで、いま国外から注目される沖縄の「脱植民地化」問題についても、鑑賞者が考える機会を与えてくれるのではないだろうか。

沖縄で描かれる〈日本画〉の面白さは、こうした時代や様々な境界を超えたパラダイムに見出すことができる。近代に生まれたフィクションともいえる「日本美術史」の見直しが求められる現在、作家が歴史に理解を深め、自らの伝統を見つめなおす中で生まれた作品は沖縄美術を「周縁」へと位置付けてきた中央主義的なまなざしを跳ね返し、「沖縄」の美術が更にローカルからグローバルへと広がっていく可能性を示唆する。沖縄から、そして国外から〈日本画〉とは何か、何ができるのかを問う機会が増えることが大いに期待される。沖縄の現代〈日本画〉は「世界」「日本」「沖縄」が交錯する中、ボーダーを超えて今を生きる「自己」

を見つめなおし、新たな時代を切り開いていく沖縄の新世代のエネルギーと共鳴している。イギリスで沖縄の〈日本画〉を観た観衆はどのように感じるのか。そのまなざしを受けて、作家は今度どのように成長していくのか。沖縄の〈日本画〉が世界へと広がる可能性に多いに期待したい。

1 チェルシー・フォックスウェルは「日本画」(Japanese style painting) を「和風絵画」と訳し、そこにはNational style (国民的様式) という20世紀に想定されたものを想起させると述べている。
チェルシー・フォックスウェル「『日本画』とは何か?―作品制作と展示の具体的観点から―」北澤憲昭・古田亮編『日本画の所在―東アジアの視点から』勉真出版、2020年、62頁。

2 小林純子氏の基調講演は加筆修正され、以下に収録。小林純子「琉球絵画の終焉」『沖縄の美術と文化 ―歴史的概観から現代における実践まで―』セインズベリー日本藝術研究所オケージョナル・ペーパー第2号、2023年、46-56頁。https://www.sainsbury-institute.org/publications/sainsbury-institute-occasional-papers-no-2/ (Accessed: March 2, 2023).

3 小林純子「平良優季」『VOCA展2018　現代美術の展望―新しい平面の作家たち』2018年、50頁。

4 一例として喜屋武千恵他「琉球王国文化遺産集積・再興事業における絵画復元研究」(2015～2018年) が挙げられる。

This paper considers what it means to paint *nihonga* in Okinawa, and the political complexities inherent in the term *nihonga* itself from an overseas perspective. Why, for example, do contemporary Okinawan artists use the materials (mineral pigments and glue) and techniques of traditional *nihonga*? How are their works received by the *nihonga* community on the mainland? And what are the differences between the *nihonga* works of Okinawan artists and those of their Japanese contemporaries? By examining these issues, the paper aims to shed light on ways in which Okinawan artists are both deconstructing and repurposing *nihonga* as part of their interrogation of the contemporary significance of Okinawan art. As can be seen from the contemporary Okinawan paintings, where the artists have studied Japanese painting and have their roots in the Ryukyus, not only are the techniques and materials inherited from the Ryukyus, but also the local materials that have been nurtured there throughout history, live on in the works.　I am convinced that the messages contained in each work and the materiality used to depict the motifs not only express their identity, tradition, and locality, but are also essential to the creation of a new Okinawan painting, which in turn is of great significance for the de-centring of 'Japanese art history'.

髙橋相馬　TAKAHASHI Soma

1-1
髙橋相馬
《Gas station, Naha》
2023

1-2
高橋相馬
《Gas station》
2022

1-3
高橋相馬
《Times front of the supermarket》
2023

泉川のはな　IZUMIKAWA Nohana

1-5
泉川のはな
《首里城系図》
2023

1-4
泉川のはな
《お土産気分》
2022

平良優季　TAIRA Yuki

1-6
平良優季
《recollection #1》
2023

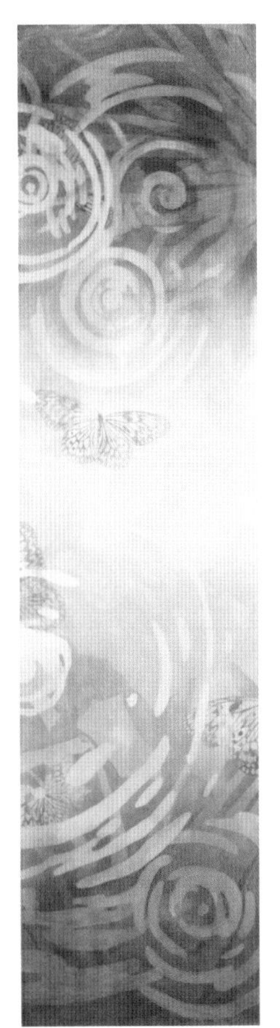

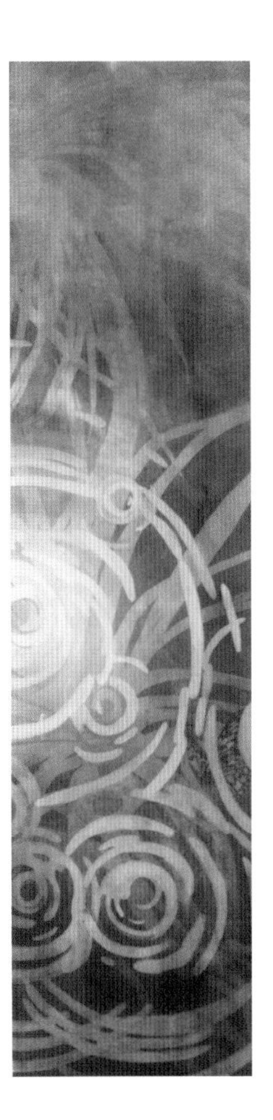

1-8
平良優季
《recollection #2》
2023

1-7
平良優季
《biotope》
2023

仁添まりな　NIZOE Marina

1-11
仁添まりな
《Ryukyu Alter》
2023

1-9
仁添まりな
《炎中昇華図》
2019

1-10
仁添まりな
《ニライカナイからの招待状》
2023

陳佑而　CHEN Yu Erh

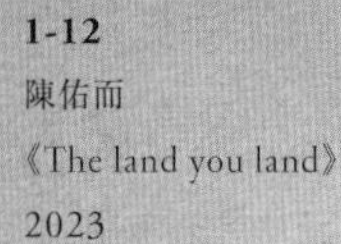

1-12
陳佑而
《The land you land》
2023

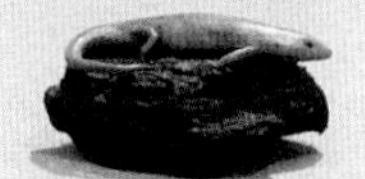

1-12
陳佑而
《The land you land》(部分)
2023

西永怜央菜　NISHINAGA Reona

2-1
西永怜央菜
《ハロウィーンの子供たち souvenir room》
2023

2-1
西永怜央菜
《ハロウィーンの子供たち souvenir room》（部分）
2023

はた織り

湯浅要　YUASA Kaname

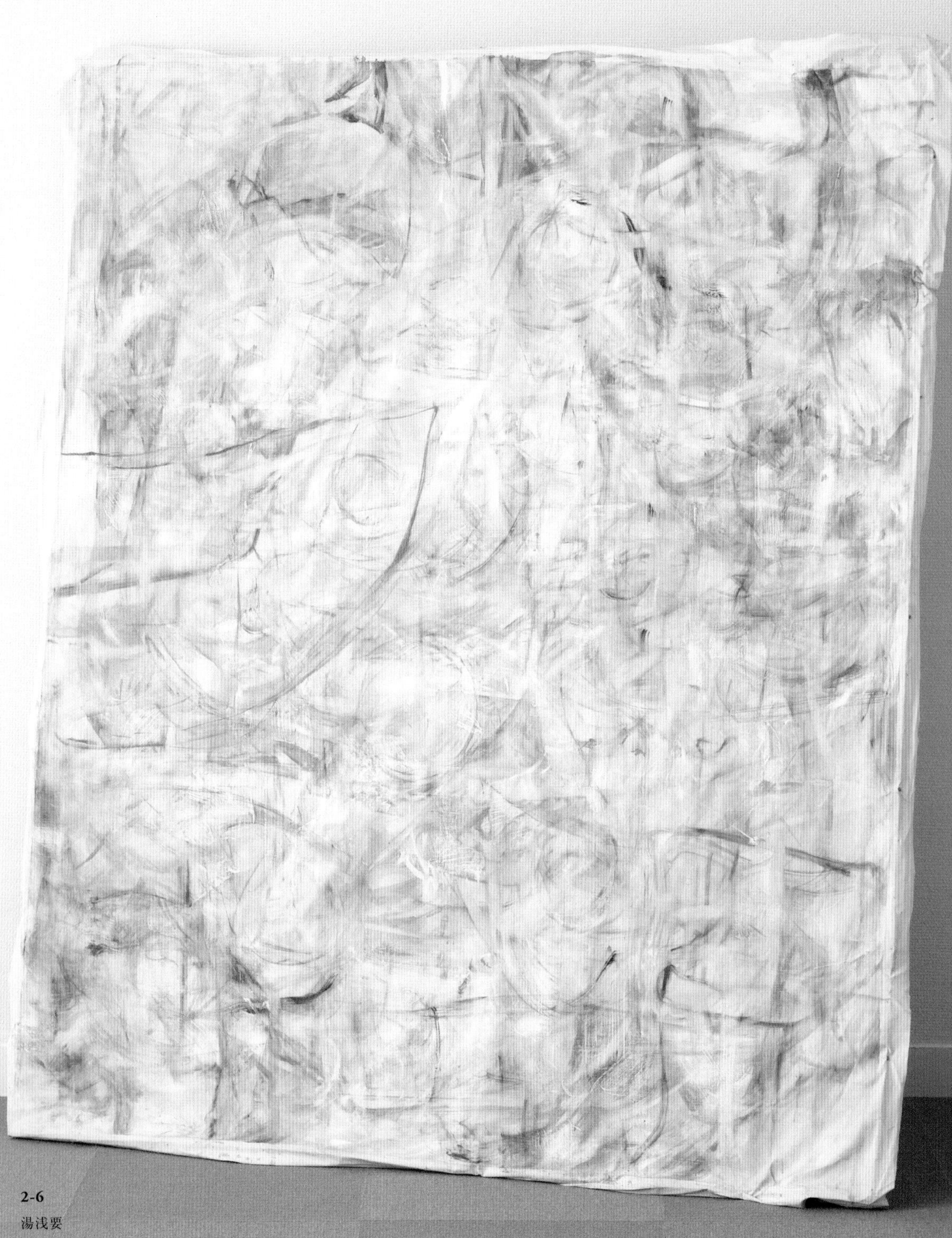

2-6
湯浅要
《フラット》
2023

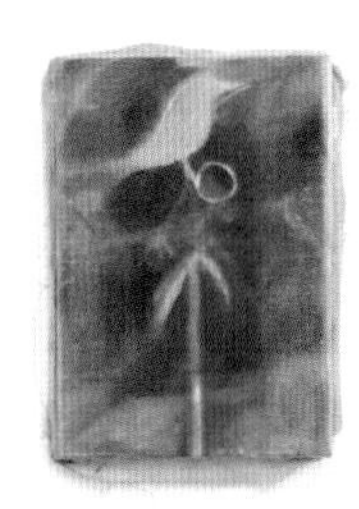

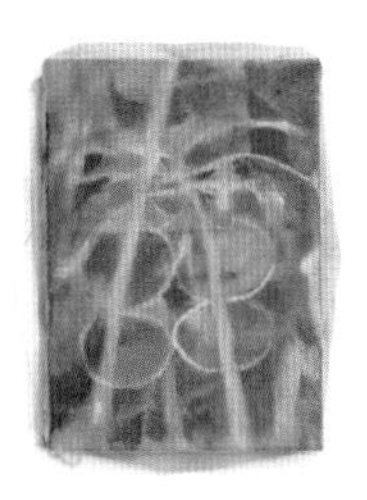

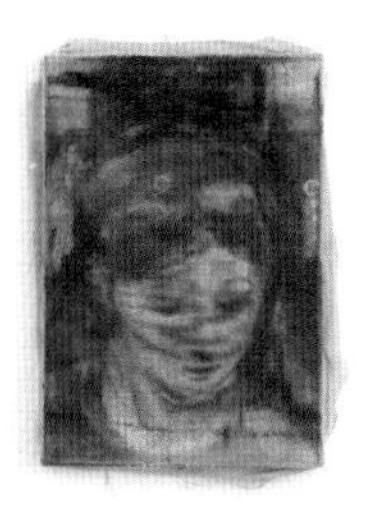

2-2《(ドローイング)》
2-3《5月》
2-4《6月》
2-5《7月》
湯浅要
2023

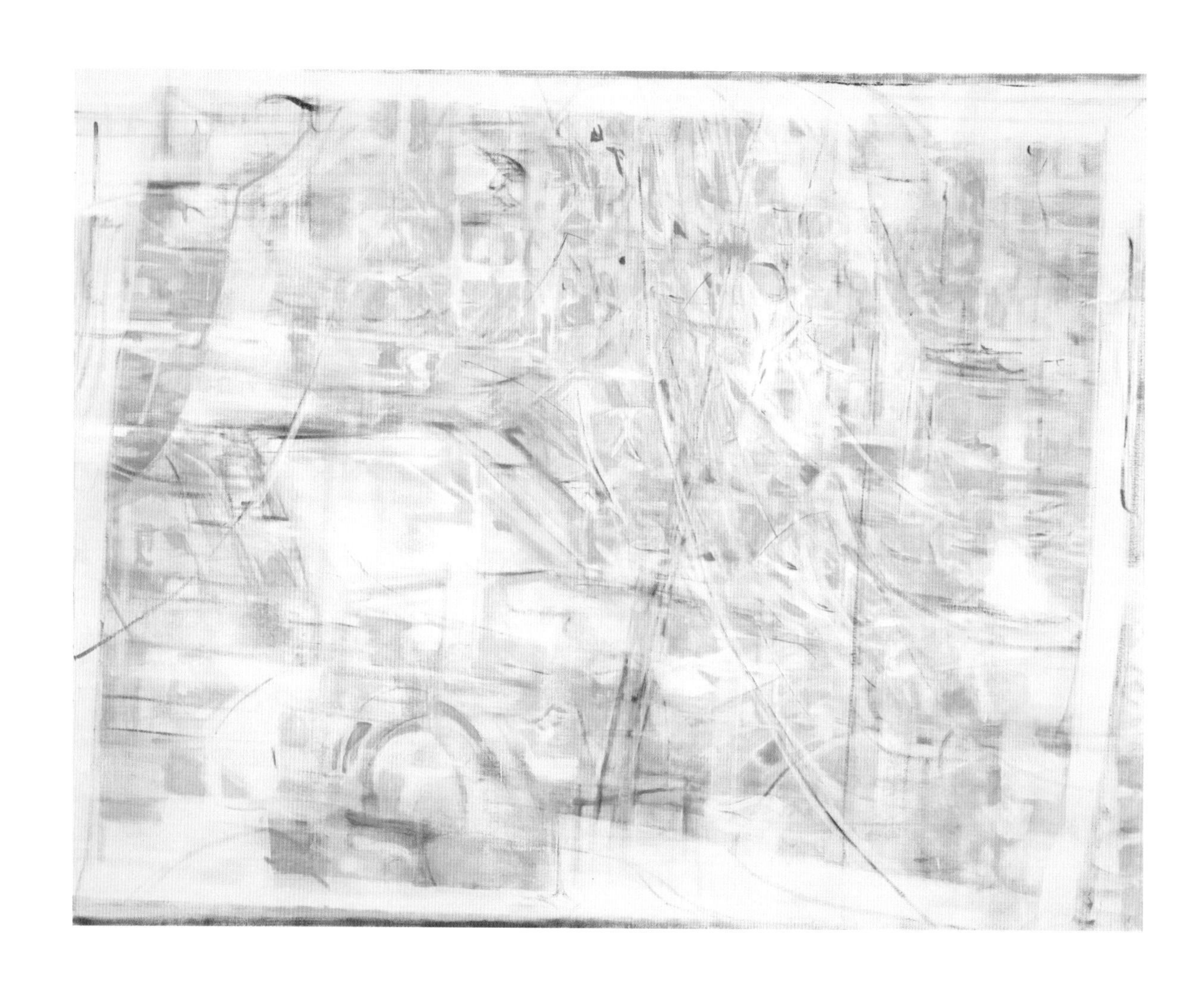

2-7
湯浅要
《街路樹のある風景》
2021

2-8
湯浅要
《柳の街路樹》
2021

寺田健人　TERADA Kento

3-1
寺田健人
《the gunshot still echoes #1_shisa》
2023

3-2, 3-3
寺田健人
《the gunshot still echoes #2_torii》
《the gunshot still echoes #3_chimney》
2023

《the gunshot still echoes》(pp. 52-53):沖縄戦で出来た街中の弾痕を写真に撮りコンクリートにUVプリントで転写し、その写真上の銃痕部分を掘り、現在も米軍から放出されている銃弾の薬莢を溶かして流し込んだ。沖縄の土地にできた傷を金継ぎのように癒し、その傷を忘れさせないために目立たせた。

《barrack and peace》(pp. 54-55):もともと米軍基地のフェンスがあった場所から現在の商業施設、今フェンスがありこれから返還される土地をそれぞれ撮影した。平和の象徴としての商業施設をバラック的な存在とするため写真だけではなくトタンやベニヤなどで構成した。

《uchikabi for militarism》(p. 56):沖縄のお盆の際に使用するウチカビには独特な丸いエンボス加工が施されているが、戦後の沖縄では薬莢を用いてエンボス加工を施していた。薬莢を使用したウチカビを現代に再現することで軍事主義のお葬式のためのウチカビにした。

3-5
寺田健人
《barrack and peace #1 green space plan》
2023

3-6
寺田健人
《barrack and peace #2 sniper training range》
2023

3-4
寺田健人
《uchikabi for militarism》
2023

トークイベント「『沖縄画』展をめぐって」

登壇者：
三瀬夏之介（画家、東北芸術工科大学教授）
大城さゆり（沖縄県立博物館・美術館学芸員）
富澤ケイ愛理子

進行：
土屋誠一

土屋：この展覧会は、沖縄という地縁だけを手掛かりとして、ユニークな作品を展開している新進気鋭の作家たちの作品によって組織されたものです。そのことで、現代の沖縄の文化的特性が見えてくるのではないか。また、必ずしも絵画でなくてもそれらを包括的に「沖縄画」と呼ぶことで、可視化されるものがあるのではないか。「画」というのは、今日の沖縄をどのように把握するかという意味合いで使用しているため、「Okinawa-ga」というローマ字表記にしています。その上で、沖縄というローカルなコンテクストを引き受けつつも、同時に、いかなるものをも代入可能な枠組みとして、「沖縄画」という名称を試金石とすることが狙いであり、同時に「沖縄画」という取り組みが沖縄だけに限る問題ではなく、芸術と共に生きていくことのアイディアを沖縄から発信することで、トランスナショナルな接続が可能ではないかという問いを投げ掛けるのがこの展覧会の目的になります。そもそもなぜこの展覧会をしようと思ったかについては、追ってお話ししていきたいと思います。司会進行と同時に、この展覧会の代表者として、発言させていただきます。

「沖縄画」というフレーズを思い付いたのは、2009年から東北芸術工科大学を中心に三瀬夏之介さんらが継続されている「東北画は可能か?」という活動があり、そっちが「東北画」と言うなら、こっちは「沖縄画」と言わせてもらおうという感じで、名前をお借りさせていただきました。最初、三瀬さんに「東北画は可能か?」の活動について基調講演としてお話しいただこうと思います。

三瀬：こんにちは、三瀬夏之介です。昨日東北、山形からやってきました。非常に刺激的かつ挑戦的なトークイベントに呼んでいただいて誠にありがとうございます。呼ばれた理由は、沖縄と同じく首都圏から見れば辺境の東北という地での実践が、今回土屋さんが銘打った「沖縄画」を深く考える上での先行的な事例としてのたたき台となるのではないかということだと思います。「東北画は可能か?」という、僕が主催するプロジェクトを紹介します。

［スライドの画面を見ながら］こちらは富山県が国土地理院の承認を経て、1995年に製作をした「環日本海諸国図」です。日本海を軸に上下をひっくり返した、通称逆さ日本地図と呼ばれるもので、歴史学者網野善彦氏が著作『「日本」とは何か』（2000年）で紹介され、注目された地図なので、ご存じの方も多いかと思います。網野氏は、海を国境として他の地域から隔てられた「孤立した島国」であるという日本像が、この地図を見るとまったくの虚像であることが、だれの目にもあきらかになる、というようなことを述べています。日本列島をさかさまにするだけで、ふだん我々が天気予報図などで見慣れている東西南北、上下左右の感覚が揺さぶられます。東京から見ると東北は雪深い、右上方にいくイメージ、僕は関西出身だったので実際その感覚がありましたが、この地図で見ると東京からちょっと左下に降りるような感覚に変わります。九州から琉球列島と呼ばれる奄美、沖縄から台湾まで点々とつながっていきます。沖縄の人にはなじみのある感覚かもしれませんが、東北にいる僕はこの地図を見て大きな驚きを感じました。台湾の右端にはもうフィリピンが見えます。この地図からは日本という人工的な区分が帳消しにされる、群島としての自由さ、人々の往来の可能性がうかがえます。逆に言うと、日本という区分が儚く人工的で、我々がいかに心理的な距離感や行政的区分に縛られているかということがわかります。

私は東北芸術工科大学で日本画コースに所属していて、出自は京都市立芸術大学という日本で一番古い美大で日本画を学びました。そういった保守的で辺境の場所からこういった地図を眺めると、今は南の話をしましたけど、北への広がりも同じく、大陸へと広がっていく群島が見えると思います。富山県は、日本海が大陸の表玄関であり、立地条件の良さと東京の僻地性を、地図をさかさまにしただけで訴えたわけです。大陸からの視点でいくと、日本海と呼んでいるところも内海に過ぎない。岡倉天心は『東洋の理想』において、日本をアジア文明の博物館と喩えましたけども、この地図からは大陸からの視点として、まるで壁のように行く先をふさぐ邪魔な存在としての日本列島の姿も浮かび上がると思います。

韓国哲学者の小倉紀蔵氏は共同体ならぬ「共異体」という概念を中国、朝鮮半島、極東日本列島といった東アジア地域の広域共同体として概念化しました。これは今回土屋さんが訴えている「バラバラのままで存在できる、異なった状態で共存できるアソシエーション」としての「沖縄画」と緩やかにつながる概念だと思います。

こちらが、僕が勤務する東北芸術工科大学の航空写真になります。1992年に公設民営の大学第1号として東北山形に開学した、昨年が30周年の非常に若い大学です。市民によってつくられた大学として、芸術学部においても、その研究成果を地域に還元するというのがミッションとされた大学です。縁もゆかりもないその大学に2009年に赴任しました。それまでは故郷の奈良県で高校の教師をしていましたので、今回のテキスト［本書所収の土屋の論考のこと］にもあります「沖縄における私の地縁・血縁的立場は、沖縄とはまったく無関係の、余所者以外のなにものでもない」と語る土屋さんとわたしは東北で共鳴していることになります。

この若い大学には、チュートリアルという仕組みがあり、それは教員主体のサークル活動、クラブ活動みたいなものです。大学は学科、専門性、学年にセパレートされ、カリキュラムにのっとって研究を進めていく訳ですけども、このチュートリアルは学科や学年の壁を打ち破った広場のようなもので単位も発生しません。私は奈良から無縁の東北に、教員として赴任しました。生活実感として新天地東北を日本という大きな括りで捉える不可能性、あるいは暴力性みたいなものを感じていたので、日本という区分をもう少し小さく、これから生活が始まる「東北」を代入して、かつプロジェクト名が疑問形である「東北画は可能か?」として、持続的に学生たちとこの土地を探ろうとしました。

実際の活動ですけども、東北芸工大には全国からいろんな学生が来ます。それこそ雪なんか見たことのない沖縄の学生から、ストレスの溜まる首都圏から東北にあこがれてやってくる学生、あるいは東北生まれ東北育ちの学生たちが入り混じって、影響を受け合いながら、共同制作と個人の視点による東北の絵を描くという2本柱の構想で進めてきました。美大という場所での共同制作は難しいです。やはり「私が描きたい」という学生たちが共同でなにかを描くというのは、ある個人の表現がゴールとされているところとは遠い。ここで僕は、個人の視点としての東北と、その集合体の視点としての東北とを分けて、このチュートリアルを進めていきました。

チュートリアルを進めるのにあたり、共同の経験をすることを目的とし、共に旅行に行き、その場所を感じ、同じ飯を食い、みんなの共通認識をつくっていきます。共同制作とは別に、もうひとつが個人の制作です。12号というパネルサイズを決めて描く、まさに「画」です。自由制作ではなく、ひとりひとりが強く思い描く東北を描いてくださいと指示をします。そこで描かれた12号の絵は、現在では200点に近づこうというところです。さらには学生だけでなく、教員、あるいは展覧会が旅のように続くので、そこで出会ったアーティストなど、いろんな視点からの作品が生まれ続けています。いつか大きい場所でどーんと全作品を展示したら、共同幻想というか、共同の無意識から東北というイメージ像が掴み取れないか、というトライでもあります。

一番最初に共同制作で描きあがった《東北八重山景》（2010年）という絵があります。『東北画は可能か?』という本が美術出版社から今年出版されたんですけども、ここに芸術人類学者の石倉敏明さんが寄稿してくれた論考があって「『日本的なるもの』に先立って生成する、非国家的な多元性に向かう」とあるんですが、まさにそういうイメージがありました。「東北画」が「可能か」と言いつつ、それはあくまでもクエスチョンマークなんですね。はたして東北なんてあるんだろうか?　もっともっと多様な東北を掘れないかと問いかけていったんですが、そういった挑戦をあっという間に飲み込んだのは、それから1年半後に起こった東日本大震災でした。

いまお見せしている画像は、2011年の3月10日に僕がスマホでたまたま撮ったものです。共同制作の1作目《東北八重山景》が壁に掛かっていて、床には下地処理を終えた共同制作2作目の布があります。ちなみに共同制作はパネルに貼っていなくて、布に下地剤を塗って、くるくると丸めて運び、展示場所があれば開いて、といった巻物みたいな形式を取っています。このとき「東北画は可能か?」には、宮城県の気仙沼にあるリアス・アーク美術館から展覧会依頼があったところでした。この美術館は、建物が方舟のカタチをしています。現代美術と食、民俗資料が混在する、美術館博物館で、ここで展示するんだったら方舟をテーマとしようと共同作品を構想していました。この翌日に東北の大地は大きく揺れました。

東北という冠の付いた大学として、アートやデザインでなにかできないかと、被災地に向かいましたが、当たり前ですが怒られました。「そんな状況じゃない、そこの土を掻け」と。学生たちと泥掻きから復旧活動にあたりました。これはアートでもデザインでもなんでもない、ただのボランティア活動ですが、見慣れた風景があっという間に消えてしまう可能性があるという経験のもとで地域と共にアートやデザインを学んでいる状況です。このときも余震があったり、泥を掘るのでいろんなものが出てきたりといった、なかなか大変な状況でした。そんななかで、共同制作を続けたいという学生たちが大学に集まってきました。写真では一見和やかに描いているように見えますが、余震がひどくて制作が中止になったり、原発の状況が不安定だったり、心理的にきつい状況で描いていました。震災以前にテーマが方舟だったため、「持っていきたいもの」、「置いていきたいもの」についてディスカッションしていましたが、震災後に考えの浅さに愕然としました。たとえば、ホワイトボードに「置いていきたいもの」として「資本主義」、「ファスト風土化」などと書かれていますが、震災以前と以後とでは、その意味も郊外の風景もまた、まったく違うものになりました。

そうしてできたのが、この《方舟計画》(2011年)です。横幅が3.5メートルくらいある大きな作品で、学生メンバーと共に僕も一緒に描きました。チュートリアルにおいては、教員と学生という非対象の立場はなく、僕もメンバーのひとりとして描きあいっこに参加した作品です。震災前には、東北が東京に電力を供給していたこともわかっていなかったし、いろんなことが見えてなかった。地面がバリバリっと捲れあがって方舟のかたちになって、その上のほうに「持っていきたいもの」、下のほうに「置いていきたいもの」が配置されています。作品の右上方にあるのが、大学から見える月山(がっさん)で、現在、過去、未来をあらわす出羽三山の山岳信仰として、祈ることは「持っていきたい」と、メンバーと話しました。

画面中央部のモチーフは、沖縄の人どころか山形の人以外はわからない風景だと思います。山形駅周辺の風景で、僕たちの見慣れた愛着のある風景は持って行きたいという意味です。

福島出身の学生は自分の思い出の場所が放射能で汚されたと、桜咲く地元の山、あるいは、里山の風景を描き残しました。置いていきたいものは、大型ショッピングモールやチェーン店みたいなものです。早くて安くて効率的かもしれませんが、個性的な小売店を潰しているということで、置いていきたいものに配置するという直情的な表現もありました。

制作の途中で、方舟はなにかを選んで、なにかを選ばない選別的な思想につながるのではないかという疑義がありました。確かにそうだなと、なにかを載せて出発するということはなにかを置いて逃げていくということです。そこで、山の精を模した〈やまごん〉というキャラクターを先ほどの絵の舟の船長のポジションに描き、置いていきたい汚れた土地にお母さんの〈ままごん〉を描いて、結果的にはやまごんがこの舟で出航して、ひろい世界のなかで多くの人と出会って知恵と経験を身に付けて、再びこの場所をままごんと共に住める場所にするんだというストーリーが、あの当時僕たちがこの絵を描き上げるためのギリギリのアイディアだったと思います。

それから10年後、《方舟計画》のアフターストーリーとして、《生々世々》(2022年)という共同制作が完成しています。左下に画中画として《方舟計画》があって、そこからやまごんがのる舟が出航して、古今東西さまざまな災害を経験をしてこの土地に戻ってくるという共同制作が完成しています。

東北は、東日本大震災という歴史的な強い事象によって大きな意味付けをされてしまいました。それは沖縄や広島といった場所でアートを展開する難しさと重なるところがあります。東日本大震災の前は、関西とは違う風土としての東北で実践ができたらいいな程度に考えていたのですが、今では大きな宿題をもらったような気持ちです。震災から10年以上が経っています。10年経ったから区切りという訳ではなく、東北の表現も様々なかたちになってきたと思います。

土屋さんの「沖縄画」というマニフェストには賛否があると思います。なにかを組織して、かたちにしていくのは、大きな労力とある種の区分けを伴いますが、それ自体が議論を呼ぶ重要なたたき台になると思います。僕自身作家なので感じることですが、作家が意図を持って表現することと、結果として表象してしまうこと、醸し出してしまうことがあります。それは固有の土地が求める訛りみたいなものかもしれないし、コロナウイルスの流行なんかもそうですけど、世界的な時代背景や政治的で時事的なものがイシューとして立ち上がってしまう場合も同時にある。作家は自由な個展形式を選ぶことができるし、ある強いテーマ、テーゼを持ったグループショーに呼ばれることもあるでしょう。この後はみなさんと「沖縄画」展のあの空間に置かれた作品の話や、東北と辺境同士の前向きな話になればいいなと思います。

土屋：私自身が批評家でしかなく、三瀬さんは画家なので絵画という表現への強いこだわりがおありと思います。一方、批評家である私の視点から言うと、この展覧会において、絵画だけに限定する理由がないのもまた事実です。絵画作品も多く含まれる展覧会ですが、インスタレーションと呼ぶしかない作品、写真を使っている作品も含まれていますので、ジャンルで縛っている訳ではありません。単純に、私の判断において、概ね「若手」で、いい仕事をしていて、沖縄になにかしら関わりがあるアーティストを、8人選んだら今回の出品作家になったということになります。沖縄に対するイメージとしては、沖縄が外側から眼差しを受けている場合と、沖縄のなかにいる人間が内面化している視線との、ふたつがあると思います。わかりやすいのは観光的イメージ、南国、沖縄、パラダイスetc.といったもの。もう一方で、沖縄の基地問題を代表とするような、困難な政治的な問題、あるいは現代史で言うならば沖縄戦といったように。いずれにしても、沖縄の「戦後」というパラダイムのなかで、外側から「沖縄らしさ」を要求される場合もあるし、同時に、沖縄の内側において「沖縄らしさ」をいつの間にか内面化してしまっている場合もあるでしょう。そうしたなかに、ある種の息苦しさのようなものがあって、もちろん、琉球や沖縄の歴史や文化を自覚的に引き受けている作品があるのは勿論ですが、同時に、まったく「沖縄らしさ」のかけらもないながらも、優れた作品を制作しているアーティストもいるわけです。そのような、本来多様であるさまざまな表現が生起し得るなかで、同時に、外側からも内側からも、沖縄にかかわる以上、「沖縄らしさ」を表現しないといけないのか?といったようなある種の強制力みたいなものが、クリエイティヴィティをかえって抑圧している部分も少なからずあると思うのですね。なので、いったん「沖縄らしさ」のようなものは解除した上で見てみると、こんなに多様な作品があるのだ、ということが、今回の展覧会でやりたかったこと、ということになるんじゃないかと思っています。

三瀬：「東北画」の土地名は代入可能だと思っていたので、ついに代入した人が出てきたと思いました。作家ってその時々でつくる動機のエッセンスが違うと思うんです。自分の欲望、衝動、切実さが根底にありつつも、それを作品の背後に隠す人もそうでない人もいます。僕は生活する土地や風土の変化が作品にあらわれやすいと自分で思っていて、奈良からフィレンツェに行って、そこから山形に来たので、山形が日本ではない異国みたいだったんです。まず言葉が違う。人の気質もぜんぜん違うし、空は高い。東北のステレオタイプである「遠野物語」とか妖怪とか雪深いとか、そういうイメージをしていたものの、実際住んでみるとこの土地は色彩にあふれ空気は澄んでいる。関西の方がよっぽど湿気でどんよりしていて、生活者として東北のイメージがぶっ壊されたというのがあったので、独特な風土を持つ日本最西端の沖縄県立芸術大学はどういうカリキュラムやメンタリティで教えられているのか?　沖縄画をどのように思うのか?　知りたいところではあります。日本画は、「日本の自画像」を描くべきと思っています。とはいえ、日本というひとつの国に集約される強いアイデンティティを求める時代は終わっているから、日本画の目指す方向は宙に浮いたままでしょう。翻って「沖縄画」は、こういう政治的に複雑な場所でアートに関わる人たちの表現を突き詰める言葉だと思います。「沖縄画」というものが、この沖縄の芸術大学で考えなければいけない、大きな議題になるのではないでしょうか。

土屋：富澤さんは、イギリスの大学を拠点として研究と教育に携わっていて、しばしば沖縄に来て調査研究のためのフィールドワークをしておられます。イギリスに在住なさっているお立場から、言語圏がまったく違うところから「沖縄画」展がどう見えるでしょうか。

富澤：いま海外で沖縄、あるいは琉球に関心を持っている研究者や学生はどんどん増えています。その反面、学べる資料は限られています。直接沖縄の研究者と対話する機会がほとんどないので、私たちが学んでいる方向が正しいのか、正直わからないところがあります。2019年にそういった疑問をもとにうちの大学で沖縄の芸術文化を考える国際シンポジウムを開きました。その際に小林純子先生など沖縄のほうからもご参加いただいて、発表いただいたんですけども、実感したのは、海外の研究者と沖縄の研究者が相互に対話を持って継続的な研究協力、対話がないと海外で沖縄研究の発展は難しいということでした。今回の「沖縄画」展で私は「学術協力者」でありますが、お話を聞いていて「沖縄画」について、理解を深めつつあるところです。私が「沖縄画」についてポジティブに感じるのは、地縁にこだわらない多様性。そういったところに非常に魅力を感じました。その反面、土屋先生がおっしゃった沖縄画の「画」とは「イメージ」のことだという解釈には不安なところもあります。「日本画」にネガティブなイメージがあるように、「沖縄画」と付けた場合、果たして今回8人の方が「沖縄画」というフレームのなかに収まるのをよしとするのか、あるいはそこを皆さんがディスカッションしてそこから次の段階にいくのか、沖縄画というコンセプトに関しては皆さんからもお聞きしたいし、私も学びたいと思っております。

土屋：今回、あくまで私から見える「若手」を選ばせてもらった展覧会なのですね。ですから、出品作家たちと比較的世代の近い大城さんとは、見え方が違うと思うのです。これまで作家たちの仕事を見てきた経験も踏まえて、この展覧会がどのように見えるのかお聞かせいただければ。

大城：最初にお話しいただいたとき、世代といってもそれぞれ違うし、そもそも「沖縄画」ってなんですか? 「東北画」みたいなことでしょうか、と質問したと思います。「沖縄画」という言葉がフレームになるのであれば、そこに出品する作家たちにとっては重い言葉を背負わせてしまうのが、同年代としては苦しかろうというのが最初の印象でした。沖縄出身とは限らない、沖縄にいて制作をしている作家というのでトークをお引受けしました。「沖縄画」に対する懸念があったことは正直なところです。

私の世代について言うなら、私は1988年生まれです。30代の前半から半ばに差し掛かったところで、出品作家のみなさんは少し歳下の方がほとんどです。沖縄県立芸大に学生として在籍していた作家たちが多いので、学生の頃から後輩たちのグループ展とかで観ていて、今回「沖縄画」展を拝見したんですけど、それぞれに持っているテーマがあるなと思いつつ、第1展示室には一番たくさん作家さんが展示していて、沖縄の風景を作家たちがどう見てるのかという点が共通しているかなと第一印象として持ちました。第2展示室では、西永さんと湯浅さんが展示していて、西永さんは琉球人形、記憶とかお土産品、個人的なライフヒストリーに根差した沖縄の捉え方です。親が移動して暮らした、ファミリーヒストリー込みの空間を見せてくれた。湯浅さんは、おばあさんとの経験からずっと続けているテーマで、沖縄イメージではなく、個人的なライフヒストリーの作品で、「沖縄画」としながら、プライヴェートな、作家としていままで積み上げてきたものを発表されているなと見ました。最後の部屋、寺田さんはいままで沖縄で発表されていないような作品で、以前の作品は自分のアイデンティティとか、そこからの想像力を写真の世界で発表されていましたけど、今回は沖縄の土地と戦争と軍事という社会的なところが個人的なことから沖縄が持つ歴史に接続してきたなと、新しい一歩を踏み出したと見ていきました。

風景の切り取り方に世代性が出るんだろうなと思います。いまは客観的には言えないと思うんですが、変わりゆく沖縄、どんどん開発されて変わりゆく姿を、私たちは成長過程で見ていますし、進学を機に沖縄に来た作家でも、短い間でもおもろまち、ライカムとかあたらしい街ができて、首里も昔あった家がなくなってパーキングになっているとか、マンションができたとか。街のつくり方も沖縄的でないつくり方に変わって、都市化していく風景のなかでかつての風景を見逃していくわけです。あとは観光イメージで持たれているモチーフをどう捉えるか、自分の経験と重なる部分もあるし違和感もある。それぞれのライフヒストリーのなかで沖縄をどう捉えるかで、20

代後半から30代に差し掛かるときって、自分のアイデンティティの部分から社会のなかでの循環に気付くというのが実感としてあります。友達に子どもができたとか、おじいちゃんおばあちゃんが亡くなったとか、世代の循環の過程に自分がいることがわかってくる。知識としてでなく、経験としてわかってくる世代だなと思ったので、自分がいる、かつていた沖縄、変わりゆく沖縄というのが直接的なテーマにしなくてもベースに滲むというのがあるのかなと捉えながら見ていました。展示室ごとにテーマ性があって見やすかったのかなと思いました。

土屋：「沖縄画」という名前を使ったことに対して、想定される問題点が幾つかあると考えながら、展覧会を組み立てていきました。そもそもお前が沖縄を語る資格があるのか、誰が沖縄を代表できるのか、まずはそうした問いです。そこで、いかなるものでも代入可能な枠組みとしての「沖縄画」と位置づけ、私が作家たちを選んだらこうなったけれども、違う人が選んだら違う「沖縄画」が立ち上がるんだろうと言いたかったのですね。勿論、展覧会としての強度を維持するために、自信を持って優れていると断言できる8人に、作品を出品してもらいました。けれども、もう一方で、この8人でなければ絶対いけないのか、あるいはこの8人以外は「沖縄画」という名称を使用する資格はないのかというと、むしろ事態は逆であって、「沖縄画」という枠組みは、ある種の宣言として考えています。いま現在「沖縄」と発話したときに、文化的、政治的、歴史的な「沖縄らしさ」、あるいは沖縄が背負ってきた歴史性はあるのだけども、そうした沖縄の「同一性」の一方で、沖縄で生きる生活実感的なレヴェルで考えると、さまざまな交通や混血といった広い意味でのモビリティが加速するなか、果たして沖縄ルーツのウチナーンチュだけに限定してこの土地を語ることが可能なのだろうか、という疑問がありました。私自身が沖縄と地縁的にも血縁的にもゆかりがないから、なおさらそう思うのかもしれません。とはいえ、一枚岩で「沖縄」と言える「何か」があるのか。そうした認識の上で、あえて「沖縄画」という名称を投げかけているわけで、なにかを縛るものとして「沖縄画」と言いたいわけではないことは、再度強調しておきたいと思います。

基地、経済、経済格差、現代化が進むにつれ、地縁血縁共同体のありかたを維持することは可能なのか。グローバリゼーションという経済的暴力の伸張があり、それとまったくの無関係でいるのは現実的には困難でしょう。そうしたなか、沖縄という島の中で暮らしていて、私自身もかれこれ15年間暮らしていますが、「沖縄」を、「沖縄画」を語る権利を議論したり、権利にまつわる闘争をしたりしている場合なのか、とも痛切に思うわけです。ならば、この小さな群島に結び付く事象を、ネーションと結び付けて考えるのではなく、同時にローカルなコンテクストだけでやっていけばいいと自足するのでもなく、少なくとも美術の表現に携わりながら、私たちはどう生き延びていくのか。世界中で、グローバリゼーションの歪みによって悲鳴をあげている地域って、いっぱいあると思うんです。沖縄も既にそうした悲鳴をあげるような局面に突入していて、このままいくと潰されてしまうのではなかろうか、という危機感がある。こうした問題意識を、若い表現者に託してみたら何が生起するのか、そのことがこの展覧会でやりたかったことなんだなと、展覧会を組み立てながら、テキストを書きながら、徐々に考えていった、ということになるんだと思います。「東北画は可能か?」や「日本画」から言葉は借りてはいるものの、「沖縄画」と発話したときに、なにかに限定されるのではなく、むしろなにかしらの自由が獲得できるのではないか。ですから「沖縄画」という言語的な規定をしながら、同時に言語的な規定から逃れるということがこの展覧会の主眼で、そうしたアンヴィヴァレンスを抱えつつの試みとして、この展覧会が賭けられているんだと思っています。

三瀬：土屋さんの自己開示を通して土屋さんの息苦しさや、どれくらい引き裂かれているかわかりました。「沖縄画」が「東北画」と違うところは、まずは土屋さんが選定した作家がいて、事後的に「沖縄画」と名付ける点。東北画は「東北画を描こう」というマニフェストが先です。「沖縄画」という強いテーマのもとに作家に新作描いてと言うことはなかなかかなもんだと思います。8人のアーティストが断らなかったこともすごいなと思っていて。外部からステレオタイプな視点を投影されることってままある。作家として東アジアにも日本にも沖縄にも、世代も職業も肩書きもさまざまなものに属しているから、そのなかで作品を提出していくしかない。

土屋さんがあえて「沖縄画」という規定をしながら、規定をはみ出るバラバラさがあるという多様性を突きつけたい、そのタイミングって大事だと思います。「東北画は可能か?」をやっていくぞと言った直後に震災があって、水が描かれているだけで津波でしょ?と言われ、四角い建物は原発でしょ?と言われ、そういう色眼鏡を掛けられる土地にここはなってしまったんだと思いました。そこからようやく解き放たれて、外からまなざされた、期待された振る舞いを解放できる雰囲気になるまで10年以上かかりました。福島で震災以降、被災物を震災遺構として残すか残さないかが問題になりました。たとえば広島には原爆ドームがあるから、常にあの頃に引き戻される。10年、30年、50年経っても常に引き戻されるものが目の前に露出しているのをアーティストは無視できるのか。震災後の東北では、震災を表現しないことさえも作家のステートメントになってしまった。東北に住んでいるのになぜ震災を表現しないのかと。

若手の絵画の登竜門とされるVOCA展で、芸工大の大学院生が在学中にVOCA賞を獲ったことがありました。それは震災直後の、津波をモチーフにした、民俗学や宗教学に根拠を求めるフィールドワークを基にした作品だったのですが、賛否両論を巻き起こし、ある批評家は時事問題がVOCA展に入ってくるのは残念だと言いました。絵画は絵画でしかできないことを実現すべきだというような、モダニスト的フォーマリズムの考え方もまだ残っているんだなと思ったし、でも時事問題を本気で解決するんだったらアクティヴィストや政治家になったほうが早いというのもわかる。この磁場の強い場所で土屋さんが満を持して「沖縄画」を提出したタイミングはなぜ今だったのか?本気で多様性をうたうのであれば持続的に10年くらいはやるべきだと思います。100人以上の沖縄に地縁のあるアーティストの作品を概観できて初めてこの土地の多様性を感じれるものになるのかと。だから今回の展覧会はその入り口なのかなと思いました。

大城：作家8人で沖縄を語るというのは、相対化するにしてもなかなか大変だと思うので、シリーズ化すると世代も10年やると下がってきて、また違う層が出てくると思います。私や今回の出品作家たちが沖芸に在学中は、1992年に再建された首里城があったし、その後の世代では、2019年に首里城が燃えたのを見ている学生もいるわけです。その前後で首里城に対しての認識は変わっていて、それまで首里城行ったことないっていう学生も沢山いましたし、燃えて初めて行く沖縄の人たちも沢山いました。そう考えると、沖縄の人にとって首里城ってなんだったの?という問いはまだ解決してないと思いつつも、いろんな世代の層が、2019年の消失から徐々に、その当時の経験から時間的に離れていくに従って、問いが深まるか、それとも変わっていくか、ということもあります。沖縄観光イメージとつなげられてしまっている、かつてあった琉球王国といったイメージをどう考えるのか。複雑な層を持っている沖縄・琉球に対して、深い考えで向かい合う若い作家たちも出てくると思いますし、それに対する疑問やアンチテーゼもあっていい。そうしたことを、沖縄出身の作家が見てもいいし、進学をするために沖縄に来たり、かつてこういう事件が起こったということを後から知る若い人たちもいるでしょうし。今後、首里城の麓にある、沖芸のここで展覧会をするのであれば、首里城はすぐ隣なので、今後の作家たちからのいろんな視点が出てくるのかなと考えると、こうした展覧会を連続してやったら面白いのではないかと思いました。

土屋：沖縄県内に関わりつつ表現を行っている作家たちを見てきましたが、世代的な断絶がある印象が強いんですね。今回、若手と呼んでいる作家たちは、80年代後半から90年代前半生まれが大半です。そこで、それより上の世代って誰がいたっけ?と考えると、1975年生まれの私ぐらいの世代に何人か持続的にやっている優れたアーティストがいる。そう考えると、沖縄で教育や批評に関わってきたひとりとして、ここ15年くらい一体何をやっていたんだという忸怩たる思いがあり、今回やっておかないとマズいなと思い、私自身も50代に突入する寸前ですから、若い人を組織するラストチャンスだなと思ったんですね。「沖縄画」というフレーズ自体はかなり何年か前から考えてはいたけれども、これだけ優れた作家たちが揃っている世代が今いるので、こうした展覧会をやったということもあります。

大城：「沖縄画」展に入っていない作家が、同時期に他のところで個展をしているのが、最高にかっこいいなと同じ世代として思いました。

富澤：若手に限らず中堅、ベテランの作家さんも海外では知られていない方がほとんどです。私が心配なのは、「沖縄画」展をイギリスに持っていった場合、「沖縄画」を翻訳したら、初めて見る人は「これが沖縄を代表する作品なんだな」と、誤解する方がいるのではないかということです。この展覧会を海外に持って行く場合には、より丁寧な説明が必要ですし、若手の方に出てもらいたいと思いますが、中堅、ベテランの方にも海外で発表いただき、現地と交流を持っていただきたいというのが私個人の願いでもあります。

もともと日本美術史、日本画を専門にしていながら、沖縄に関心を持ったきっかけは、2015年にロンドン大学で開催した「境界の脱構築、東アジア美術史は可能か」というシンポジウムにあります。中国、韓国、台湾、日本この4か国で話が進んだんですが、最後にオーディエンスから「なぜ沖縄が入ってないの」と疑問が入り、猛省しました。そのときまで無意識に沖縄を日本の中で捉えていたということに気付かされました。それがきっかけで、中央主義的なまなざしではなく、沖縄を中心に東アジアの中で捉える、グローバルな中で捉えるということをやってみたいと思って今に至っています。自分がいる、あるいは興味を持ったところを視点にして、見つめ直すことで学びの多い場になると思います。

土屋：この展覧会を組み立てる過程で、私自身ブレブレだったのですが、この展覧会を東京に持っていこうとも考えていたのですが、やはり沖縄でやることに意味があると思って、東京に持っていくという発想をやめたこともありました。文化の輸出って、大都市圏を経由することが多いじゃないですか。けれども、そうした大都市圏を中継点とするのは止め、来年にこの展覧会を組み替えて開催する予定のイギリスも、大都会ではないノーフォーク州、そして那覇自体は都会ですが、大都市ではない。この2点間だけで、大都市圏は経由しなくていいと決めました。ローカルなネットワークだけで、充分成立するじゃないか、ということを現実化したいためです。

（質疑応答）

質問A：アーティストは、「沖縄画」に100パーセント賛同した上で参加したわけではないと思うんですけど、開催までの間、どういった声があがって、どう応えたか。

土屋：まず私から回答しますと、出品作家のみなさんは葛藤があったかもしれませんし、いまでも葛藤を抱えていると思います。ただ、出品交渉の段階で、誰からも断られなかったことは、事実として言っておきたいと思います。「沖縄画」という展覧会をやるんだけども、沖縄をテーマにしたり、展覧会名を気にしなくていいから、いつもの仕事を存分にやってくださいと伝えました。

会場A：作家側から土屋さんや展覧会に対しての働き掛けとか、疑問点とかディスカッションはあったのかなと。

土屋：企画内容についての議論に重点は置かずに進めて、とにかくいい作品による、いい展覧会にしようということに注力し、展示構成や作品の内容についてはディスカッションしました。企画内容についても、もっとディスカッションしておけばよかったのかな?というのは、反省点ではあります。

会場B：土屋さんがコンセプトに基づいて企画されていることに敬意を表しますし、今回の展覧会の個々の作家も素晴らしいと思いました。ただ、植民地主義の歴史に対する認識は甘いのではないかと思います。「沖縄画」というタイトルについて、いろいろなお話を聞かせていただきましたが、なぜ「沖縄画」というタイトルの必要があったのか正直わからない部分があります。「沖縄画」を語る権利を議論しあっている場合なのか、という話がありましたが、それを言う権利が土屋さんにあるのかなと思います。この質疑に入る際も、冗談のように「ここは日本ではありませんから（活発な質問や意見をください）」と言われましたが、やはりそういうことは言ってはいけないと思います。ここはいろいろな経緯があって日本ですよね、今は。それを「沖縄画」というコンセプトの展覧会のトークで言っていいのかということを、非常に疑問に思いました。質問ですが、土屋さんが前向きな意味で「沖縄画と言ってみることでなにかしらの自由が獲得できるのではないか」という話があったと思いますが、それは、誰にとってのどういう自由なのでしょうか。

土屋：沖縄で生活をしている私自身の問題かもしれませんが、ここ10数年来の沖縄において、全般的に漠然とした不自由さは感じています。私自身の問題に限らず、沖縄にかかわる表現を見てきたなかで、やっぱり不自由だなとはずっと感じてきたのが率直な思いです。その不自由さをなんとか脱することができないだろうか。沖縄にいながらも、様々なローカルなネットワークのなかで、この漠然とした不自由さから脱することができれば、もっとクリエイティヴなことができるのではないか。そしてそれが、この場所で生きていくための力になるのではないかということは思ってきました。ポストコロニアリズム的な視点に関する認識の甘さは、確かにご指摘のとおりですが、あえてその正義や公正性にかかわる側面については、認識の枠組を甘くしています。私も、ポストコロニアリズム理論の洗礼を受けたど真ん中の世代なので、深くそうした理論からの影響を受けていますし、その認識が重要だということはわかっています。ただ、ポストコロニアリズムの理屈だけで押し進めることで、なにか生産的な出来事が生起するのだろうか、という疑問をここ数年抱えていて、今回はそうした視点をあえて外して、物事を見てみたら違う風景が見えるのではないか。こういうアプローチの仕方もあるのではないかと提案することが、大切なのではないかと考えています。

会場B：「不自由さを脱出できればクリエイティブになれる」という話がありましたが、不自由さを誰がつくってきたのか、それに対する責任を自分はどういう立場で引き受ける必要があるのかが問題だと思います。また、東京に売り込みたい訳ではないと言いながら、ヨーロッパに持って行くのはどう違うのかと思いました。植民地主義や資本主義発祥の国イギリスに持って行くのはどのように正当化できるのかなと思いました。

会場C：参加作家のひとりです。さっき土屋さんから沖縄画に参加した作家のスタンスがどうであったかというのがありましたが、沖縄画というコンセプトに作家がどこまで同意しているかは、土屋さんが思い描いているのとは別の、作家それぞれのストーリーがあって、作家が参加する理由は、打算的なものもあるかもしれない。でも、若手作家と呼ばれる人は、働きながら時間やお金を切り詰めながら生活していて、今後5年くらい経ったら制作を続けられているのかもわからない状況で、私個人としては展示の話をいただいて、自分がこういう表現をしていた痕跡を残したいという切実な想いで参加しました。今回、作家全員にちゃんと挨拶できてなくて、これまでコロナとか年齢、ジェンダー、物理的な距離とか、いろんなハードルがあったとしても「沖縄画」について対話したり、関係性をつくることはこれからもっとやっていかないといけないんじゃないかなと思っていて、明日アーティストトークがあるので、ようやくその一歩が踏み出せるのかなと思います。

会場D：美術評論家の、翁長直樹さんの『沖縄美術論』（2023年）を沖縄に来る飛行機内で勉強し始めたのですが、「沖縄画」は、『沖縄美術論』の歴史記述と照らし合わせると、どういう枠組みになるのでしょうか。

土屋：評論活動のみならず、歴史編纂の仕事においても、長い期間にわたって手がけられてこられた翁長さんの『沖縄美術論』が刊行されることで、沖縄での美術の歴史的展開の見通しが、とても良くなったと思っています。沖縄の中で起こってきた歴史的な経験と表現が、どう対応しながら変化していったか、つまり社会と芸術がどう呼応していったかに力点が置かれて、この本が書かれていると思うのですね。ただ、翁長さんが語る、沖縄における歴史経験と芸術を並行して語るナラティヴから、こぼれ落ちるであろう表現を、どう考えればいいかが課題だと思っています。文化、政治、歴史と結び付けないと、沖縄の美術史に組み入れられないのかという疑問があって、複数の、別の評価基準を用いることで、それらを総体として「沖縄画」と呼んでみたら、沖縄で営まれている表現の幅が、作り手にとっても受け手にとっても、さらに広がるのではないかというのが、私なりの着眼点としてあります。

会場E：［発言者より掲載の承諾が得られなかったため、発言は掲載せず］

土屋：ジャンルとしての、「沖縄写真」、「東京写真」でもいいですが、そうしたものは実体としては無いと言い続けてきました。「沖縄画」は、ジャンル名ではないのです。

三瀬：バラバラでいい、だけじゃ、だめだと思うんですね。「沖縄画」という強いマニフェストに対して作家がそうだ、いや違うと議論していく。そこに自由があるんじゃないでしょうか。今回、新作が多いんですね。30歳前後の作家がジャンプするときに大きな展覧会の話が舞い込んだら、それは断れないですよ。すべて出していかないと作家としての道が閉ざされるので。だから、展覧会を機会に議論を重ねていって、キュレーターとも関係性ができてこそ、豊かな展覧会になって、この土地からも自由になる可能性がある。「沖縄」という言葉は強いし、「画」という言葉も強い。だから、明日のアーティストトークも含めた、こういった場を大事にすべきじゃないかと思いました。歴史的な場所を意識しながら、どうやって作品を創れるか。テーマ性の強い展覧会へ出品する作家の受け取り方のグラデーションはあったんだろうなとは思います。

大城：沖縄という言葉が強いのは、沖縄が歩んできた歴史、沖縄という範囲の揺らぎ、歴史の中で奄美、先島、他にもいろんな時代で境界が動いてきて、八重山の人から見たらどうなるのか。そうした重層的であるからこそ、重い言葉なんだと思います。沖縄を名指すとき、「琉球」と呼ぶか、それとも「沖縄」と呼ぶかで、その含むところに大きな違いがある、ということもあります。去年、「復帰」50年で、「復帰」の前には「琉球」が使われていたりして、近代で区切ったとしても「琉球・沖縄」と言わないといけない。それぐらい難しい言葉で、ただ沖縄という短い名前だけにも重い歴史があって、将来もさらに重層的になっていく過渡的な言葉だと思うので、土屋さんが水面に投げた言葉に波紋がひろがるべきだと思います。それに対して、対話や反応が積み重なっていくことで、ようやく見えてくるものが、きっと「沖縄画」になるのではないか。だからまずは、それぞれに「沖縄画」という言葉に対してどういうイメージを持ったのかというところが、ようやくスタート地点であるという捉えかたを私はしています。

富澤：イギリスに住んで20数年になりますが、ここ数年、当大学では「脱植民地主義カリキュラム」というワークショップを学生主体で定期的に開催し、教員と学生がディスカッションの場を持っています。なぜカリキュラムの中に黒人の歴史の授業がないのか、外国籍の若手の研究員の比率が少ないのか等、学生を中心とする議論の場が大切に扱われています。イギリスは植民地問題だけではなく、もともと違う国をひとつにまとめていますので、沖縄から学ぶことをイギリスに持ち帰りたいと思います。

土屋：大学という場で展覧会を開催することが、権威付けじゃないかという話がありましたが、そうではないというのが、私の実感です。今回の出品作家には、沖芸の卒業・修了生が多いわけですが、それは単に、私の視野の狭さの反映でしかないかもしれません。個人的な実感で言えば、大学の教員という立場が権威として見られている実感はぜんぜんなく、むしろ、大学教員の活動が、社会にしっかりリーチしていないことが、より危機的な状況の反映ではないかと思います。大学という場所に可能性があるとすれば、今回の展覧会を無料で開放していることです。このように、まだ、採算ベースで考えなくてもいい余地が残っていて、大学が無料で遊べる場でありえるという可能性は捨てたくないと考えています。

会場F：1964年生まれで、沖縄の人です。大阪やアメリカで学んでいたので、100パーセント沖縄の人かと言われると分からないですが、沖縄の人です。若い頃に、いままで食べていた「そば」のことを「沖縄そば」と呼んでくれと言われたとき、悪い気はしませんでした。中華そばの類なのに、「沖縄そば」と呼んだほうがしっくりくる。「沖縄画」がしっくりくるかどうかは後で決まるんじゃないかな。地名に対するこだわりがあって、地名と素材とのタグ付けは一番しっくりくるなと思っていて、そのうち土屋さんが言ったことに感謝するかもしれない。楽天的に言うと、こうやって怒ったり笑ったり話し合ったりできることがいいなと思っています。

会場G：沖縄そば、食べたくなりました。「沖縄画」展のことを初めて聞いたのは、画廊沖縄で仁添まりなさんの個展（2022年）が開催されているときで、彼女の色彩とモチーフ、言葉の印象を思い出しながら聞いていました。土屋さんの試みは、やる価値があると感じています。沖縄戦後復興のなかで、時代で価値観はどんどん変わってくると思います。ハードを優先しなきゃいけない、中央に追いつけと言っていた時代。それから、追い付かなくていい時代を経て、ようやく「沖縄画」という話ができるような時代になったのかな、と。別の人が「沖縄画」をやることで自由を持ちつつ、「沖縄画」という眼差しで安谷屋正義（1921-1967）や山城見信（1937-2023）の作品を観たりするといった、実験的なチャンスが与えられたなと思います。なにが生まれるんだろうという期待があります。内側に発する機能性、外側に対する機能性が両方あるので、外側へのパフォーマンスも同時に考えないといけない。言葉に可能性があるなと思います。沖縄を中心に置く役割から自由を獲得するのはそこにあるのかなと思います。

土屋：私自身、沖縄に関心を持ち始めてから、20年ほど経過して、いろいろ学んできたつもりではありますが、まだまだ認識が浅かったり、場合によっては誤解していることもあるかもしれない、と再確認しました。とはいえ、これだけいろいろな議論が出てくるこういう場を設け、共有できたことは幸福だと感じています。「沖縄画」展の裏テーマであるアソシエーションというのは、一般的には目的論的な共同体のことを指すのですが、必ずしも目的を共有していないとしても、それでもなお、緩やかなつながりのなかで、共に生きていく可能性を探りたいと考えています。

トークイベント「『沖縄画』展をめぐって」（2023 年8月10日、沖縄県立芸術大学首里当蔵キャンパス大講義室）より収録・編集

泉川のはな　IZUMIKAWA Nohana

私がこれまでテーマとしてきた「沖縄のイメージ」は、制作を継続するうちに、自己認識の変化に着目するようになった。《お土産気分》は沖縄の歴史文化を背景としながらも、大きな縄を潜り南国を内面化するキャラクター達を主題に描いた。例え話の一場面のようでもあり、また自分の物語でもある。

新作の《首里城系図》は、琉球王国時代末期に絵師として活躍した友寄喜恒が19世紀に描いた《首里城図》から着想を得ている。《首里城図》に描かれている当時の首里城の図像を引用し、琉球処分以降の首里城および周辺地域の風景の時代変化におけるイメージの変遷を描いた。琉球処分、そして過去の地上戦による破壊ののち、当時施政権が米国にあった時代に大学が設立。そして琉球王国時代の遺産復元が進み、エキゾチックな城としての姿を印象づけた。世代毎で城跡周辺の呼び方に違いがあるのも、沖縄に長く住む人々にとっては思い当たる経験ではないだろうか。観光産業化による経済発展を背景に南国的印象の定着の一端を担うお土産、時代背景を知り印象深く感じたモチーフ達が画面を賑わせる。

首里が地元の私にとって、赤々としたモニュメント達と整備された緑は、近所の公園として散歩するにはもってこいの場所である。その地には幾重にも時代のレイヤーが重なり、思い出として固着した「首里城」というイメージが更新されていくのは、まさに現在進行系の物語だ。

1991　沖縄県生まれ、同地在住。
2016　東北芸術工科大学大学院芸術工学研究科修士課程芸術文化専攻洋画領域修了

[個展]
2022「夜が明けて、雨音で目を覚ます。」(NERD GALLERY/沖縄、フリュウ・ギャラリー/東京)
2020「鳥の報せ」(People's art gallery/沖縄)
2019「やさしい鳥」(フリュウ・ギャラリー/東京)

[グループ展]
2022「3331 ART FAIR 2022」(3331 Arts Chiyoda/東京)
「『復帰』後　私たちの日常はどこに帰ったのか」(佐喜眞美術館/沖縄)
「VOCA展2022 現代美術の展望―新しい平面の作家たち」(上野の森美術館/東京)
2021「琉球の横顔―描かれた『私』からの出発―」(沖縄県立博物館・美術館/沖縄)
「しまにあう、しまをかく」(ホテルアンテルーム那覇Garelly9.5/沖縄)
2016「ART AWARD TOKYO 丸の内 2016」(丸ビル1階マルキューブ、3階回廊/東京)

[パブリックコレクション]
山形市役所

《南国遊覧之図》2021年　キャンバス、アクリル　160×387cm　撮影：上野則宏

《Snow scene 1》2022年　古布、漆喰　41.6×53.4cm

平良優季　TAIRA Yuki

「なぜ沖縄で日本画を描いているのか」

出品を重ねていく中で投げかけられた言葉や、県外で作品を出品していく中で生まれた自身の作品の違和感をきっかけに「日本画」とは一体何か「日本」「沖縄」「琉球」のイメージを出発点とし、各々で培われた技法、素材、歴史的背景をリサーチしながら境界・交錯・重層をテーマに県内外で発表している。

生まれ育った沖縄という地で見てきた、オオゴマダラやクロトン、ブーゲンビリアといった身近な動植物。街路樹や観光施設では、熱帯・亜熱帯の鮮やかな植物が年間を通して咲いている。「現存する自然」と「作られた自然」のなかで、自身の目に映る風景、モチーフを組み合わせて描いている。

今回は縦長パネルを組み合わせ、日本家屋で見られる「虫籠窓」をイメージした作品と、クロス格子状で洋風建築の窓をあらわした作品で「窓の向こうの景色」を描いた。

虫籠窓から見る風景にはオオゴマダラやソテツ、オオタニワタリといった自生する動植物が描かれている。蝶は仏教では魂を運び、沖縄では死者の魂の化身とされている。画面下部にある蝶のシルエットは、これまでの長い歴史と記憶、痕跡であり、画面中央に集まる蝶の群れは、今を生きる私たちと言える。洋風の窓から見る風景は、蝶と同じく温室で育つラン科の植物の群生を描き、どちらの作品にも、画面に波紋を重ねた。波紋は記憶でもあり、出来事、衝撃、余波を表し、過去にさまざまな歴史と出来事、記憶を受けて、うまれ生きている。今、目の前に見える鮮やかなモチーフたちは、誰かの波紋から浮かび上がった記憶と痕跡なのかもしれない。「琉球」「沖縄」「日本」という様々なアイデンティティと歴史、文化が残るこの地で生まれたモチーフを描くとき、冒頭で述べた「問い」は、誰でも起こりうる無意識に生じる「フレーム」でもある。

「窓枠（フレーム）」を介して見る風景、その先には一体何が見えるのか。

1989　沖縄県生まれ、同地在住
2017　沖縄県立芸術大学大学院芸術文化学研究科（後期博士課程、芸術表現領域）修了

[個展]
2023　「Biotope」（ギャラリーアトス/沖縄、同19・21年）
2022　「Garden」（REIJINSHA GALLERY/東京）

[グループ展]
2022　「線と円」（京都市京セラ美術館/京都）
　　　「第2回現在日本画研究会」（UNPELGALLERY/東京、京都市美術館別館/京都）
　　　「復帰50年コレクション展 FUKKI QUALIA—『復帰』と沖縄美術」（沖縄県立博物館・美術館/沖縄）
2018　「VOCA展2018現代美術の展望—新しい平面作家たち」（上野の森美術館/東京）
　　　「第6回郷さくら美術館桜花賞」（郷さくら美術館/東京）
2017　「Art in Bunkacho ～トキメキが、爆発だ～」（文化庁（旧文部省庁舎）/東京）
　　　「美術館開館10周年記念展『邂逅の海—交差するリアリズム』」（沖縄県立美術館・博物館/沖縄）
2014　「日本・タイ アートスチューデント交流展」（チェンマイ大学/タイ）

[受賞歴]
2021　第10回Artist Group—風—入賞（同15・16・18・20年）
　　　第8回トリエンナーレ豊橋星野眞吾賞展入選（同17年）
2016　第9回菅楯彦大賞展推薦
2015　第15回福知山市佐藤太清賞公募美術展佐藤太清賞

[パブリックコレクション]
郷さくら美術館、沖縄県立芸術大学、
沖縄県立博物館・美術館（寄託）、他

《箱庭の詩》2021年　麻紙、寒冷紗、岩絵具　194×521.2cm

髙橋相馬　TAKAHASHI Soma

2016年から具象的な絵を描き始めた。その際に決めていたのは「描かれた場所の地域性や特徴が表れていること」と「それでいてモチーフ自体は他所にもあるあまり珍しくないもの」を描くことだった。

今回新作を制作するために、撮り溜めてある写真から作品にするものを探した。結果、2年前に撮影した那覇のガソリンスタンドを選んだ。写真に撮ったガソリンスタンドは既に取り壊されている。普段、被写体の写真を現地で撮る以外に被写体について調べることは少ない。しかし、今回は建物の内部や窓越しの景色など用意した写真だけではわからない部分が多く、だがガソリンスタンドはもはや無いため追加撮影もできず、インターネットやSNSなどで画像や情報を探した。その過程で、このガソリンスタンドの閉店について取り上げる新聞記事を見つけた。ガソリンスタンドは1954年に開業し、建物の老朽化やコロナの影響から閉店を決めたと書かれていた。

ガソリンスタンドの立っていた土地は現在、すでに新しいテナントビルが建っている。数年前から那覇ではこうした理由からか建物の解体や建て替えが多く見かけられ、時代の節目のようなものを感じている。新作の中でも、画面の奥には新築の大型マンションが聳えている。新作《Gas station, Naha》は、この景色の移ろいを捉えた作品になったと思う。

1992　岐阜県生まれ、沖縄県在住
2011　1年間美術愛好家の宮城一夫氏に師事
2017　沖縄県立芸術大学美術工芸学部絵画専攻卒業

[個展]
2023「新しいコインパーキング」(LIGHT HOUSE GALLERY/東京)
2022「Ultraviolet Rays」(gallery rougheryet/沖縄)
2017「建物描きました」(名御市場ギャラリースケッチ/沖縄)

[グループ展]
2022「3331 ART FAIR 2022」(3331 Arts Chiyoda/東京)
2021「やんばるアートフェスティバル『ある場所』」(辺土名商店街/沖縄)
「THE HAPPIEST PLACE ON EARTH HOTEL ASIA POSTCARD PROJECT 2021」
(プラハ/チェコ共和国、ジョクジャカルタ/インドネシア、北九州、熊本/日本)
2019「UNDENTIFIED LANDSCAPE」(Gallery SOAP/福岡、BARRAK/沖縄)
2018「BARRAK INDEPENDANTS バラックアンデパンダン―生き抜くために創るのだ」(BARRAK/沖縄)
「Multi shutter/マルチシャッター」(EUKARYOTE/東京)
「BANGKOK BIENNIAL2018」にBARRAKのメンバーとして参加 (Whiteline/タイ)

《Water tank》2023年　キャンバス、アクリル　30×30cm

《A house》2018年　キャンバス、アクリル　36.4×51.5cm

陳佑而　CHEN Yu Erh

The Land You Land

あなたが着いた（到着した・上陸した）土地。来沖して10年弱、台北出身の私にとって、沖縄は自然に近いところでもあり、遠いところでもある。物理的に、沖縄の都会と野生的な環境は近いが、精神的に自然や生き物との距離は遠いと感じている。

（人間以外の）生き物は私たち人間にとってどの様な存在であるか、日々自分に問いかけている。動物園に就職してからは、脊椎動物のみならず、昆虫や植物、今までそこまで気にしていなかった生き物も目に入る様になっている。毎日の様に身の回りに生き物が生まれて、生きていて、死んでいる。さらに自分の手で生き物を殺さないといけないことも増えている。

芋虫を大事に育てて、蛹化して、無事に羽化して、そして殺して標本にする。養鶏場で淘汰されたオスのひよこを殺して、皮をむいて、フクロウの餌にする。当然の様に見えるが、こうした行為の中で、生き物の死を決めることにはどういう根拠があるのか。生物学者は、生き物が好きだからと言いながら、研究する側と研究される側とは、むしろ距離を遠ざけているようだ。このような様々な、軽く扱われてしまうことに耐えられない存在に重ねて、自分の中の人間と生き物の関係のあり様を構築している。

1986　台湾台北生まれ、沖縄県在住
2019　沖縄県立芸術大学大学院芸術文化学研究科（後期博士課程、芸術表現領域）修了

[個展]
2021　「毎一個倏忽即逝的永恆 A Fleeting Eternity」（伊日藝術／台北）
2019　「The Fadeless Gaze（学位審査展）」（沖縄県立芸術大学附属図書・芸術資料館／沖縄）
2015　「Pieces of you」（沖縄コンテンポラリーアートセンター／沖縄）

[グループ展]
2018　「有藝思動物園」（朱銘美術館典藏特展／台北）
2016　「搖擺吧！動物們—藝術設計展 Let's Dance! Animals-Art and Design Exhibition」（奇美博物館／台南）
2014　「日本—タイ アートスチューデント交流展」（チェンマイ大学アートセンター／タイ）
　　　「標本師的魔幻劇本」（伊日美學生活台南空間／台南）

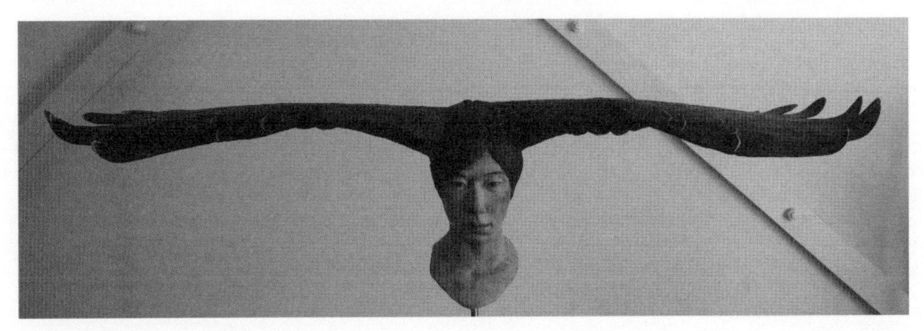

《Soar on your wings》2014年　乾漆　45×168×25cm

《2011/3 Jaguar》
2014年　乾漆　30×36×35cm

寺田健人　TERADA Kento

現在の沖縄は戦後78年が経ったとして、毎年「慰霊の日」にはセレモニーが行われ本土のメディアでも報道されている。一見するとその報道や、観光地としてのイメージによって平和な世界がそこにあるかのように作られているが、実際には祈りの儀式が形骸化されており、戦争から生じた基地問題に関して多くの課題が残されたままである。むしろセレモニーだけが注目されることで現実に目が向かないよう覆い隠しているのではないだろうか。

本作品は沖縄の土地に残された弾痕などの戦争の傷跡や、返還地に建てられた商業施設などの風景を手がかりに戦争の記憶を読み取る試みである。土地の記憶は私たちが読むことで継承されるし、読み取ろうとしなければ忘れ去られる。一人一人が沖縄戦の痕跡を眼差し、戦争のない未来を考え続けることが本当の意味での「慰霊」になるだろう。

協力：Mimaki
株式会社ミマキエンジニアリング
東京藝術大学 取手共通工房 鋳造室 松渕龍雄

1991　沖縄県生まれ、東京都在住
2017　沖縄県立芸術大学美術工芸学部芸術学専攻卒業
2019　東京藝術大学大学院美術研究科先端芸術表現専攻修士課程修了
2021～　横浜国立大学大学院都市イノベーション専攻博士課程後期に在籍

［個展］
2022「想像上の妻と娘にケーキを買って帰る」（Bank ART Kaiko/神奈川）
2021「Living with my imaginary wife and daughter」（芸大食堂showcase/茨城）
2019「NEW SHELTER?」（銀座奥野ビル306プロジェクト/東京）
2015「クローゼットに手を触れて」（沖縄県立芸術大学附属芸術資料館/沖縄）

［グループ展］
2023「In this body of mine」（MassART×SoWa/ボストン）
「IWAKAN Magazine 6th EXHIBITION—男性制」（gallery-1/東京）
2022 3331 ART FAIR 2022（3331 arts chiyoda/東京）
東京芸大アートフェス2022（オンライン展示）
2021「琉球の横顔—描かれた『私』からの出発—」（沖縄県立博物館・美術館）
「『風景』のつくりかた」（目黒区民ギャラリー/東京）
「人間臭さを勝ち取るための実践」（Alt_Medium/東京）
2020「トランス・ポートレート」（Roonee247finearts/東京）
「沖縄も私～つながっていることつなげること～」（茨城県立つくば美術館/茨城）
「Japan's [Possible] Future」（SOUYA HANDA GALLERY PROJECT/東京）

［受賞歴］
2023 PICTH GRANT
2022 3331 ART FAIR 2022コレクター・プライズ（林暁甫賞）
BankART Under 35 2022選出
東京藝大アートフェス2022入選
2014 第1回WORKSHOPフォトネシア写真学校ポートフォリオレビュー審査員賞（森栄喜選）

《terace his scent》
2017年　Chromogenic print　20.3×25.4cm

《Living with my imaginary wife and little girl》
2020年　Chromogenic print　50.8×61cm

西永怜央菜　NISHINAGA Reona

《ハロウィーンの子供たち souvenir room》は、沖縄での生活上で目にするお土産品から着想を得て制作した。

1990年代後半に生まれ、2000年代の「沖縄ブーム」以後を経験してきた者にとって、お土産品はステレオタイプを再生産し、コロニアルな視線をも想起させるものでもあった。これまでこの地でお土産品を目の前にする時、そこに表された沖縄への視線のかたちと、その視線が一体誰のものであるのかという問いをどこかで抱いてきた。そしてそれは、沖縄に生きる生身の人間自身にも重なるものである。

制作にあたり、お土産というプロダクトそのものから直接は見えてくることのなかった、その作り手や成り立ちといった背景をまず学んだ。加えて自身の親戚を対象に手持ちのお土産品の提供を呼びかけ、それぞれに関連するエピソードの聞き取りを行った。それをもとに複数のテキストを制作し、空間とハンドアウト上に織り交ぜる形で配置した。空間は沖縄県中部のリサイクルショップがイメージの原点となっており、手元のハンドアウトと空間に視線を行き来させながら物語を読み解いていく構成となっている。

太平洋戦争終戦直後、女性への洋裁の講習と経済的自立を目的に生産された米軍人向け土産であり、沖縄の人々に手工芸品としても親しまれた「琉球人形」。作者の母方の祖父が幼い頃、米軍基地に忍び込み家族へのお土産として持ち帰ったチョコレートやキャンディー。米国統治時の沖縄に移住した鹿児島出身の父方の祖父が、生前にコレクションしていた日本各地のお土産品。

機能上で使用したお土産類の重層的なバックグラウンドとそのバリエーションの豊かさは、沖縄という島を軸とした物質と人の流れを体現する。沖縄に向けられた消費的な視線やステレオタイプなイメージを、お土産品にまつわる物語を介して、その背景に再度接続し、沖縄に生きる人々の交差性を描く。

1995　沖縄県出まれ、同地在住
2018　秋田公立美術大学美術学部美術学科アーツ＆ルーツ専攻卒業
2020　沖縄県立芸術大学大学院造形芸術研究科（修士課程、絵画専修）修了

[個展]
2019　「ハロウィーンの子供たち」（Arts Tropical/沖縄）

[グループ展]
2023　「やんばるアートフェスティバル『ある人物』」（塩屋小学校/沖縄）
「Homemaking#2 あたえられた土地と土」（武蔵野プレイスギャラリー/東京）
「秋田公立美術大学開学10周年記念展」（秋田市文化創造館/秋田）
2022　「沖縄人」（gallery rougheryet/沖縄）
2021　「OKIMIYAGE」（オルタナティブスペースHESO/山形）
「PORTABILITY」（HAPS/京都）
2019　「EAPAP 2019：島唄 the Island Song 島鳴 섬의 노래」（済州4.3平和公園/韓国）
2018　「BARRAK INDEPENDANTS バラックアンデパンダン―生き抜くために創るのだ」（BARRAK/沖縄）

《ハロウィーンの子供たち》2019年　影絵インスタレーション　可変　画像提供：Arts Tropical

《Silhouettes》2023年　映像、影絵インスタレーション　可変

仁添まりな　NIZOE Marina

琉球人は何を想い、何を伝え、何を願ったのか。自身は未来に向けた沖縄をテーマにしたある種の理想郷を描いているが、当時の琉球の理想と現代の沖縄の理想は異なるだろう。複雑な時代背景を経て、「琉球」から「沖縄」へと変わったなかでも、きっと現代に通ずる変わらない美意識や人々の想いがあるのではないかと考えている。かつて多くの国と渡り合い、小国ながらも豊かな文化を培っていた琉球の誇りを取り戻したい。武器を持って争うのではなく、アートのもつ力で世界中を渡っていけるように。目に見えない物を形にするのはとても難しいけれど、琉球人の痕跡を辿ることで世界中の人々とアートを通して文化で繋がるヒントが得られるのではないだろうか。

良いと思ったものを素直に吸収し、試行錯誤し、独自のものへと昇華させていく。「琉球らしさ」、「沖縄らしさ」とは、真摯に多様性を認めていく姿勢にあると感じている。多様性を認めるということは、決して簡単なことではない。新な文化が入ってくるゆえの刺激が多い反面、ある種での痛み分けになってくる部分もあり、一歩間違えば本来あった独自性を揺るがすきっかけにもなりかねない。

しかし、文化の多様性を認め、取り入れたことで独自性に富んだ琉球、そして現代の沖縄が形成されていると思う。今回の「沖縄画」の展示にも、このような多様性に富んだ現代の沖縄像が投影されているのではないだろうか。

1993　東京都生まれ、沖縄県在住
2021　沖縄県立芸術大学大学院芸術文化学研究科後期博士課程修了

[個展]
2022「No man's land一視点を変える旅一」(画廊沖縄/沖縄)
2021「一琉球花鳥の楽園一」(那覇市民ギャラリー/沖縄)

[グループ展]
2023「ART OSAKA 2023」(大阪市中央公会堂/大阪)
2022「『復帰』後　私たちの日常はどこに帰ったのか」(佐喜眞美術館/沖縄)
「3331 ART FAIR 2022」(3331 Arts Chiyoda/東京)
「Tricolore2022　ハ・ミョンウン・戸村茂樹・仁添まりな」(ときの忘れもの/東京)
2021「VOCA展2018 現代美術の展望一新しい平面作家たち」(上野の森美術館/東京)
「琉球の横顔一描かれた『私』からの出発一」(沖縄県立博物館・美術館/沖縄)
2020「台日交聯展覧会」(淡水古跡博物館/台湾)

[受賞歴]
2023　第10回郷さくら美術館桜花賞展入選
第74回沖展絵画部門奨励賞・準会員推挙
2022　第73回沖展絵画部門奨励賞
2021　第10回菅楯彦大賞展入選
2020　第12回なは市民芸術展絵画部門那覇市長賞
第72回沖展絵画部門浦添市長賞

[パブリックコレクション]
沖縄県立芸術大学、沖縄県立博物館・美術館(寄託)

《星香》2021年　絹、岩絵具、水干絵具、金泥　116×200cm

《火願》2020年　絹、岩絵具、水干絵具、金泥、金箔、黒箔、銀箔、銅粉、墨、染料　116×360cm
沖縄県立博物館・美術館寄託

湯浅要　YUASA Kaname

僕は、絵画の中にある「見当識」という主題を軸に絵を描いています。「見当識」とは介護用語で「時間と空間の中に自分を位置付ける能力」のことを言い、その機能に障害が起きると、今がいつなのか、自分はどこにいるのか、目の前の人が誰なのか、ちゃんと認識できなくなるようです。

絵画にもそのような特定の時間や空間を越えた眺めがあると思います。

僕のペインティングでは、描くことと平行して消すことを繰り返します。画面の中を行き来する絵画制作では、過去から未来へと流れるような一方向的な時間軸は存在しなく、編み物のように複数の時間の糸が重なり一つのイメージとして合流していきます。それは、今の絵画制作の出発点でもある認知症だった祖母の感覚と、自分の感覚の距離を手繰り寄せて少しでも寄り添えるようになりたいという試みでもあります。

今回の沖縄画では、サムホールサイズの絵を毎月２枚１組で描いた新作を発表しました。この制作で心がけているのは、毎日絵を見つめて手を加えるということと、２つの絵をできるだけ同時に眺めるということです。これは、祖母の知覚に近づきたいと描いていた絵と、僕の今いる場所の身近な風景との距離を少しずつ近づけていきたいというものです。

自分自身の視線と、想像しても決して知り得ない他者の視線との間にある「わからなさ」をただ受け止めるための絵を描いています。

1994　京都府生まれ、沖縄県在住
2019　沖縄県立芸術大学美術工芸学部絵画専攻卒業

［個展］
2022　「書きながら忘れる」（project space hazi/愛知）
2021　「something else」（BABYBABYHAMBURGER＆BOOKS/沖縄）
2018　「白い目」（BARRAK/沖縄）

［グループ展］
2023　「汽水域」（バイソンギャラリー/兵庫）
　　　「やんばるアートフェスティバル『ある場面』」（辺土名商店街（旧知花商店）/沖縄）
2022　「スタートからいちばん近いゴール」（project space hazi/愛知）
　　　「3331 ART FAIR 2022」（3331 Arts Chiyoda/東京）
　　　「四月、コンポジション」（miyagiya ON THE CORNER/沖縄）
2021　「やんばるアートフェスティバル『ある場面』」（辺土名商店街（園原さん家の空き家）/沖縄）
2019　「アーティストユニット川川『木になる』」（Arts Tropical/沖縄）
2018　「BARRAK INDEPENDANTS バラックアンデパンダン―生き抜くために創るのだ」（BARRAK/沖縄）

《orientation》2021年　キャンバス、油彩
162×130.3cm

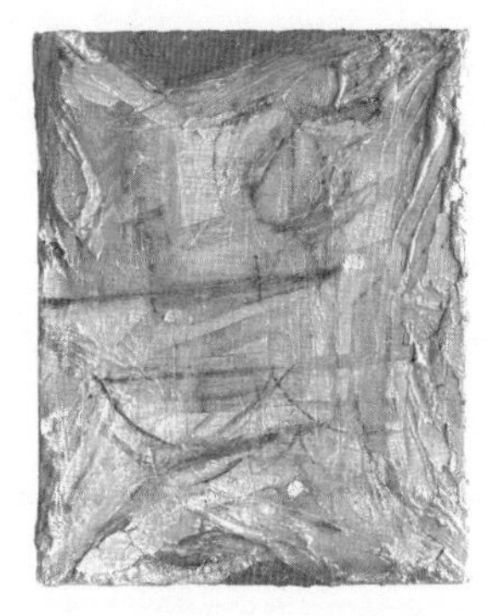
《ワンダリング》2023年　キャンバス、油彩
27.3×22.2cm

沖縄画 Okinawa-Ga

8人の美術家による、現代沖縄の美術の諸相

Aspects of Contemporary Okinawan Art by 8 artists

第1展示室

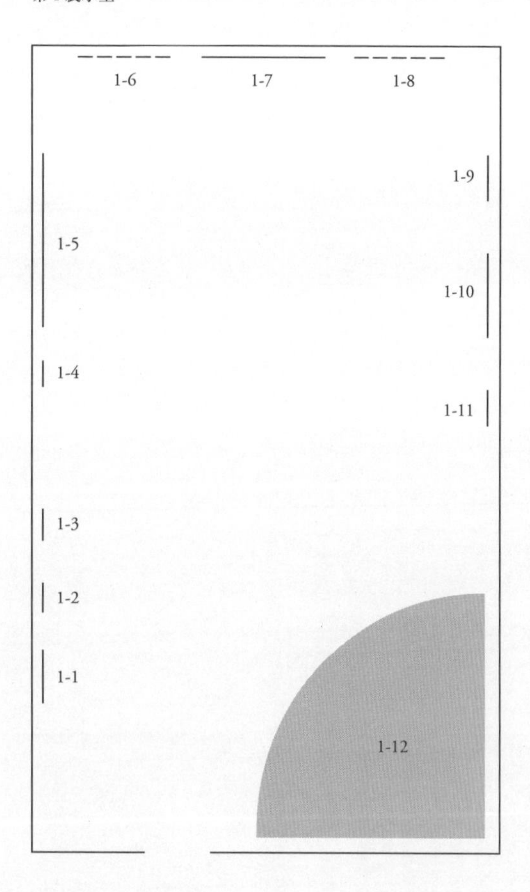

高橋相馬 TAKAHASHI Soma

1-1 Gas station, Naha
キャンバス、アクリル / 91 × 91cm / 2023

1-2 Gas station
キャンバス、アクリル / 65 × 53cm / 2022

1-3 Times front of the supermarket
キャンバス、アクリル / 72.7 × 60.6cm / 2023

泉川のはな IZUMIKAWA Nohana

1-4 お土産気分
キャンバス、アクリル、アルミ箔 / 53 × 53 × 2.2cm / 2022

1-5 首里城系図
キャンバス、アクリル、箔 / 100 × 400 × 3cm / 2023

平良優季 TAIRA Yuki

1-6 recollection #1
麻紙、寒冷紗、岩絵具 / 162 × 40cm / 5枚組 / 2023

1-7 biotope
麻紙、寒冷紗、岩絵具 / 162 × 376.6cm / 2023

1-8 recollection #2
麻紙、寒冷紗、岩絵具 / 162 × 40cm / 5枚組 / 2023

仁添まりな NIZOE Marina

1-9 炎中昇華図
絹本着色 / 130 × 185 × 2.5cm / 2019

1-10 ニライカナイからの招待状
紙本着色 / 201 × 144 × 3cm / 2023

1-11 Ryukyu Alter
紙本着色 / 66.5 × 143.5 × 3.2cm / 2023

陳佑而 CHEN Yu Erh

1-12 The land you land
彫刻粘土、乾漆、石、木、木版画、植物標本など / 2023

第2展示室

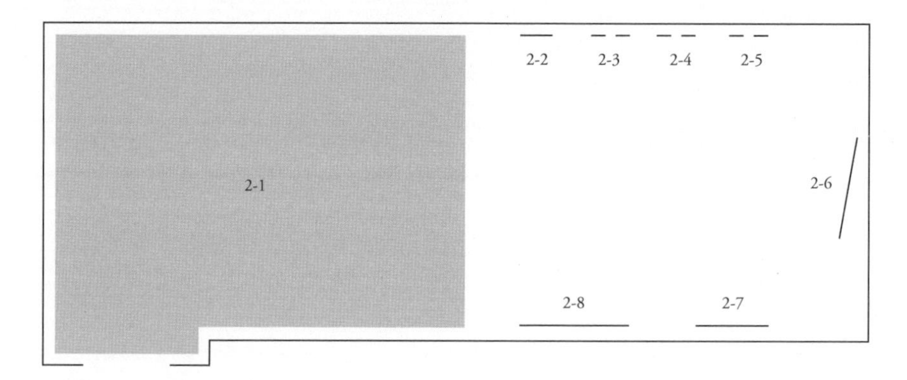

西永怜央菜
NISHINAGA Reona

2-1 ハロウィーンの子供たち souvenir room
琉球人形、テキスト、写真 / 2023
写真提供：沖縄県公文書館

湯浅要
YUASA Kaname

2-2 (ドローイング)
紙、水彩 / 21 × 29.7cm / 2023

2-3 5月
キャンバス、油彩 / 22.7 × 15.8cm / 2枚組 / 2023

2-4 6月
キャンバス、油彩 / 22.7 × 15.8cm / 2枚組 / 2023

2-5 7月
キャンバス、油彩 / 22.7 × 15.8cm / 2枚組 / 2023

2-6 フラット
キャンバス、油彩 / 194 × 162cm / 2023

2-7 街路樹のある風景
キャンバス、油彩 / 170 × 220cm / 2021

2-8 柳の街路樹
キャンバス、油彩 / 220 × 120cm / 2021

第3展示室

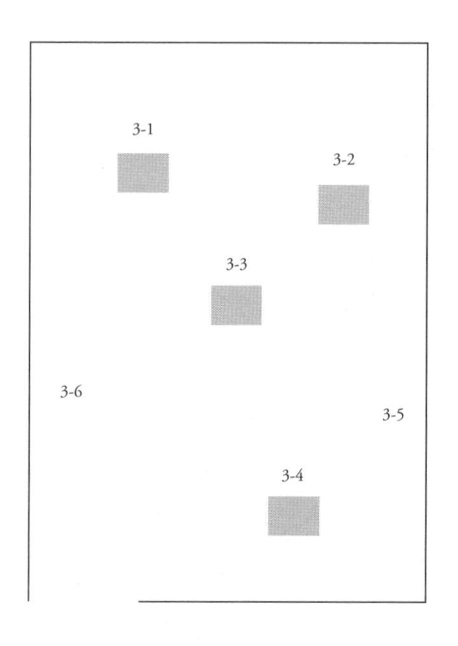

寺田健人
TERADA Kento

3-1 the gunshot still echoes #1_shisa
コンクリート、薬莢、UVプリント / 30 × 30 × 5cm / 2023

3-2 the gunshot still echoes #2_torii
コンクリート、薬莢、UVプリント / 30 × 30 × 5cm / 2023

3-3 the gunshot still echoes #3_chimney
コンクリート、薬莢、UVプリント / 30 × 30 × 5cm / 2023

3-4 uchikabi for militarism
薬莢、紙、ブリキ、アクリル / サイズ可変 / 2023

3-5 barrack and peace #1 green space plan
トタン、印画紙、蛍光灯 / 125 × 65cm / 2023

3-6 barrack and peace #2 sniper training range
トタン、印画紙、蛍光灯 / 125 × 65cm / 2023

沖縄画 ―8人の美術家による、現代沖縄の美術の諸相

[展覧会]

2023年8月10日(木)〜8月20日(日)
10:00-17:00

会場:沖縄県立芸術大学附属図書・芸術資料館
企画:土屋誠一、富澤ケイ愛理子、町田恵美
出品作家:泉川のはな、平良優季、髙橋相馬、陳佑而、寺田健人、西永怜央菜、仁添まりな、湯浅要
広報:上地里佳
デザイン:山城絵里砂

トークイベント「『沖縄画』展をめぐって」
日時:2023年8月10日(木)18:30-
会場:沖縄県立芸術大学首里当蔵キャンパス大講義室
登壇者:三瀬夏之介(画家、東北芸術工科大学教授)、
大城さゆり(沖縄県立博物館・美術館学芸員)、
富澤ケイ愛理子(美術史家、イースト・アングリア大学専任講師)
進行:土屋誠一(美術批評家、沖縄県立芸術大学准教授)

アーティストトーク
日時:2023年8月11日(金) 10:15-
[1] 平良優季、仁添まりな、(聞き手)富澤ケイ愛理子
[2] 泉川のはな、髙橋相馬、陳佑而、(聞き手)土屋誠一
[3] 寺田健人、西永怜央菜、湯浅要、(聞き手)町田恵美

主催:「沖縄画」展実行委員会(ディレクター:土屋誠一)
共催:沖縄県立芸術大学
特別協力:イースト・アングリア大学
協力:セインズベリー日本藝術研究所
助成:公益財団法人花王芸術・科学財団、公益財団法人三菱UFJ信託地域文化財団、沖縄県立芸術大学教育研究支援資金

[謝辞]

展覧会の開催及び図録の作成にあたり、
下記の皆様をはじめ多くの方々から
多大なご協力を賜りました。ここに記して感謝の意を表します。

泉川のはな
平良優季
髙橋相馬
陳佑而
寺田健人
西永怜央菜
仁添まりな
湯浅要

三瀬夏之介
大城さゆり

北澤周也
喜屋武盛也
小池寿子
小林純子
島袋寛之
白砂真也
平良亮太
富原圭子
中島アリサ
長嶺勝磨
波多野泉
平川信幸
真栄里泰球
山本浩貴

公益財団法人 花王 芸術・科学財団

Okinawa-Ga —Aspects of Contemporary Okinawan Art by 8 artists

[Exhibition]

August 10 - 20, 2023, 10:00 - 17:00

Location: Okinawa Prefectual University of Arts
Curated by TSUCHIYA Seiichi, Eriko TOMIZAWA-KAY, MACHIDA Megumi
Artists: IZUMIKAWA Nohana, TAIRA Yuki, TAKAHASHI Soma, CHEN Yu Erh,
TERADA Kento, NISHINAGA Reona, NIZOE Marina,
YUASA Kaname
Public relation: UECHI Rika
Design: YAMASHIRO Erisa

Talk Event

Date: August 10, 2023. 18:00 -
Location: Okinawa Prefectual University of Arts
Speakers: Prof. MISE Natsunosuke (Tohoku University of Art and Design),
SHIRO Sayuri (Curator, Okinawa Prefectural Museum and Art Museum),
Dr. Eriko TOMIZAWA-KAY (University of East Anglia).
Chair: Prof. TSUCHIYA Seiichi (Okinawa Prefectual University of Arts)

Artist Talk

Date & Time: August 11, 2023. 10:15 -
[1] TAIRA Yuki, NIZOE Marina, (Interviewer) Eriko TOMIZAWA-KAY
[2] IZUMIKAWA Nohana, TAKAHASHI Soma, CHEN Yu Erh,
(Interviewer) TSUCHIYA Seiichi
[3] TERADA Kento, NISHINAGA Reona, YUASA Kaname,
(Interviewer) MACHIDA Megumi

Organizer: The Committee of '*Okinawa-Ga*' (Director: TSUCHIYA Seiichi)
Co-organizer: Okinawa Prefectual University of Arts
Special Cooperation: University of East Anglia
Cooperation: Sainsbury Institute for the Study of Japanese Arts and Cultures
Grant: The Kao Foundation for Arts and Sciences, The Mitsubishi UFJ Trust Cultural Foundation, The Education and Research Support Fund of Okinawa Prefectural University of Arts

[Acknowledgment]

Many thanks to the the following people and many others who contributed to the success of the exhibition and the publication:

IZUMIKAWA Nohana
TAIRA Yuki
TAKAHASHI Soma
CHEN Yu Erh
TERADA Kento
NISHINAGA Reona
NIZOE Marina
YUASA Kaname

MISE Natsunosuke
ŌSHIRO Sayuri

KITAZAWA Shuya
KIYATAKE Moriya
KOIKE Hisako
KOBAYASHI Junko
SHMABUKURO Hiroyuki
SHRASUNA Shinya
TAIRA Ryota
TOMIHARA Keiko
NAKAJIMA Arisa
NAGAMINE Katsuma
HATANO Izumi
HIRAKAWA Nobuyuki
MAEZATO Taikyu
YAMAMOTO Hiroki

［編者プロフィール］

土屋誠一

1975年生まれ。美術批評家／沖縄県立芸術大学准教授。主な著書（共著）に『批評 前／後　継承と切断』、『現代アート10講』など。

富澤ケイ愛理子

イースト・アングリア大学専任講師。美術史家。主著に*East Asian Art History in a Transnational Context*, edited by Tomizawa-Kay, E. & Watanabe. (Routledge, 2019) など。

町田恵美

沖縄県立博物館・美術館の教育普及担当学芸員を経て、現在沖縄を拠点に県内外のプロジェクトに携わる。

[Editor's Profile]

TSUCHIYA Seiichi

Born in 1975. Art critic / Associate professor at Okinawa Prefectural University of Arts. Co-author of *Critical Archive vol.3 Before / After Inclusion and Disconnection (2017), Ten Lectures of Contemporary Art (2017).*

Eriko TOMIZAWA-KAY

She is lecturer at the University of East Anglia. Art Historian. Her publications include *East Asian Art History in a Transnational Context*, edited by Tomizawa-Kay, E. & Watanabe, T. (Routledge, 2019).

MACHIDA Megumi

She worked as a curator of education at the Okinawa Prefectural Museum & Museum of art. Since then, she has been working as an independent art curator and coordinator, involved with various art project in Okinawa.

［図録］

沖縄画

—8人の美術家による、現代沖縄の美術の諸相

2023年11月6日　初版第1刷発行

編集：土屋誠一、富澤ケイ愛理子、町田恵美
デザイン：鈴木晴奈（Design Studio hare）
撮影：高野大
印刷：シナノ印刷株式会社
発行人：細川英一
発行所：アートダイバー
〒221-0065 神奈川県横浜市神奈川区白楽121
TEL: 045-281-3081　FAX: 045-330-5165
info@artdiver.moo.jp

[Catalog]

Okinawa-Ga

—Aspects of Contemporary Okinawan Art by 8 artists

First Edition Published on 6th Nov, 2023

Edited by TSUCHIYA Seiichi, Eriko TOMIZAWA-KAY, MACHIDA Megumi
Designer: SUZUKI Haruna (Design Studio hare)
Photographer: TAKANO Dai
Printed by SHINANO Co.,Ltd.
Publisher: HOSOKAWA Eiichi
Published by ART DIVER LLC
121 Hakuraku, Kanagawa-ku, Yokohamashi, Kanagawa-ken, Japan 221-0065
TEL: +81-45-281-3081　FAX: +81-45-330-5165
info@artdiver.moo.jp

本刊行物は、公立大学法人沖縄県立芸術大学令和5（2023）年度教育研究支援資金の助成を受けたものです。
ISBN978-4-908122-25-5